Zweig | Schachnovelle

Stefan Zweig
Schachnovelle

Kommentierte Ausgabe

Herausgegeben von
Klemens Renoldner

Reclam

RECLAMS UNIVERSAL-BIBLIOTHEK Nr. 18975
2013, 2019 Philipp Reclam jun. GmbH & Co. KG,
Siemensstraße 32, 71254 Ditzingen
Durchgesehene und bibliographisch ergänzte Ausgabe 2019
Gestaltung: Cornelia Feyll, Friedrich Forssman
Druck und Bindung: Kösel GmbH & Co. KG,
Am Buchweg 1, 87452 Altusried-Krugzell
Printed in Germany 2020

ISBN 978-3-15-018975-7
www.reclam.de

Auf dem großen Passagierdampfer, der mitternachts von New York nach Buenos Aires abgehen sollte, herrschte die übliche Geschäftigkeit und Bewegung der letzten Stunde. Gäste vom Land drängten durcheinander, um ihren Freunden das Geleit zu geben, Telegraphenboys mit schiefen Mützen schossen Namen ausrufend durch die Gesellschaftsräume, Koffer und Blumen wurden geschleppt, Kinder liefen neugierig treppauf und treppab, während das Orchester unerschütterlich zur deck-show spielte. Ich stand im Gespräch mit einem Bekannten etwas abseits von diesem Getümmel auf dem Promenadedeck, als neben uns zwei- oder dreimal Blitzlicht scharf aufsprühte – anscheinend war irgendein Prominenter knapp vor der Abfahrt noch rasch von Reportern interviewt und photographiert worden. Mein Freund blickte hin und lächelte. »Sie haben da einen raren Vogel an Bord, den Czentovic.« Und da ich offenbar ein ziemlich verständnisloses Gesicht zu dieser Mitteilung machte, fügte er erklärend bei: »Mirko Czentovic, der Weltschachmeister. Er hat ganz Amerika von Ost nach West mit Turnierspielen abgeklappert und fährt jetzt zu neuen Triumphen nach Argentinien.«

In der Tat erinnerte ich mich nun des Namens dieses jungen Weltmeisters und sogar einiger Einzelheiten im Zusammenhang mit seiner raketenhaften Karriere; mein Freund, ein aufmerksamerer Zeitungsleser als ich, konnte sie mit einer ganzen Reihe von Anekdoten ergänzen. Czentovic hatte sich vor etwa einem Jahr mit einem Schlage neben die bewährtesten Altmeister der Schachkunst, wie Aljechin, Capablanca, Tartakower, Lasker, Bogoljubow gestellt; seit dem Auftreten des siebenjährigen Wunderkindes Rzecewski bei dem Schachturnier 1922 in New York hatte noch nie der Einbruch eines völlig Unbekannten in die ruhmreiche Gilde derart allgemeines Aufsehen erregt. Denn Czentovics intellektuelle Eigenschaften schienen ihm keineswegs eine solche blendende Karriere von vornherein zu weissagen. Bald sickerte das Geheimnis durch, dass dieser Schachmeister in seinem Privatleben außerstande war, in irgendeiner Sprache einen Satz ohne orthographischen Fehler zu schreiben und, wie einer seiner verärgerten Kollegen ingrimmig spottete, »seine Unbildung war auf allen Gebieten gleich universell.« Sohn eines blutarmen südslawischen Donauschiffers, dessen winzige Barke eines Nachts von einem Getreidedampfer überrannt wurde, war der damals Zwölfjährige nach dem Tode seines Vaters vom Pfarrer des abgelegenen Ortes aus Mitleid aufgenommen worden, und der gute Pater bemühte sich redlich, durch häusliche Nachhilfe wettzumachen, was das maulfaule, dumpfe, breitstirnige Kind in der Dorfschule nicht zu erlernen vermochte.

Aber alle Anstrengungen blieben vergeblich. Mirko starrte die schon hundertmal ihm erklärten Schriftzeichen immer wieder fremd an; auch für die simpelsten Unterrichtsgegenstände fehlte seinem schwerfällig arbeitenden Gehirn jede festhaltende Kraft. Wenn er rechnen sollte, musste er noch mit vierzehn Jahren jedesmal die Finger zur Hilfe nehmen und ein Buch oder eine Zeitung zu lesen, bedeutete für den schon halbwüchsigen Jungen noch besondere Anstrengung. Dabei konnte man Mirko keineswegs unwillig oder widerspenstig nennen. Er tat gehorsam, was man ihm gebot, holte Wasser, spaltete Holz, arbeitete mit auf dem Felde, räumte die Küche auf und erledigte verlässlich, wenn auch mit verärgernder Langsamkeit, jeden geforderten Dienst. Was den guten Pfarrer aber an dem querköpfigen Knaben am meisten verdross, war seine totale Teilnahmslosigkeit. Er tat nichts ohne besondere Aufforderung, stellte nie eine Frage, spielte nicht mit anderen Burschen und suchte von selbst keine Beschäftigung, sofern man sie nicht ausdrücklich anordnete; sobald Mirko die Verrichtungen des Haushalts erledigt hatte, saß er stur im Zimmer herum mit jenem leeren Blick, wie ihn Schafe auf der Weide haben, ohne an den Geschehnissen rings um ihn den geringsten Anteil zu nehmen. Während der Pfarrer abends, die lange Bauernpfeife schmauchend, mit dem Gendarmeriewachtmeister seine üblichen drei Schachpartien spielte, hockte der blondsträhnige dumpfe Bursche stumm daneben und starrte unter seinen schweren Lidern anscheinend schläfrig und gleichgültig auf das karierte Brett.

Eines Winterabends klingelten, während die beiden Partner in ihre tägliche Partie vertieft waren, von der Dorfstraße her die Glöckchen eines Schlittens rasch und immer rascher heran. Ein Bauer, die Mütze mit Schnee überstäubt, stapfte hastig herein, seine alte Mutter läge im Sterben und der Pfarrer möge eilen, ihr noch rechtzeitig die letzte Ölung zu erteilen. Ohne zu zögern, folgte ihm der Priester. Der Gendarmeriewachtmeister, der sein Glas Bier noch nicht ausgetrunken hatte, zündete sich zum Abschied eine neue Pfeife an und bereitete sich eben vor, die schweren Schaftstiefel anzuziehen, als ihm auffiel, wie unentwegt der Blick Mirkos auf dem Schachbrett mit der angefangenen Partie haftete.

»Na, willst du sie zuende spielen?«, spaßte er, vollkommen überzeugt, dass der schläfrige Junge nicht einen einzigen Stein auf dem Brette richtig zu rücken verstünde. Der Knabe starrte scheu auf, nickte dann und setzte sich auf den Platz des Pfarrers. Nach vierzehn Zügen war der Gendarmeriewachtmeister geschlagen und musste zudem eingestehen, dass keineswegs ein versehentlich nachlässiger Zug seine Niederlage verschuldet habe. Die zweite Partie fiel nicht anders aus.

»Bileams Esel!«, rief erstaunt bei seiner Rückkehr der Pfarrer aus, dem weniger bibelfesten Gendarmeriewachtmeister erklärend, schon vor zweitausend Jahren hätte sich ein ähnliches Wunder ereignet, dass ein stummes Wesen plötzlich die Sprache der Weisheit gefunden habe. Trotz der vorgerückten Stunde konnte der gute Pater sich nicht enthalten, seinen halb analphabetischen Famulus zu einem Zweikampf herauszufordern. Mirko schlug auch ihn mit Leichtigkeit. Er spielte zäh, langsam, unerschütterlich, ohne ein einzigesmal die gesenkte breite Stirn vom Brette aufzuheben. Aber er spielte mit unwiderlegbarer Sicherheit; weder der Gendarmeriewachtmeister noch der Pfarrer waren in den nächsten Tagen imstande, eine Partie gegen ihn zu gewinnen. Der Pfarrer, besser als irgend jemand befähigt, die sonstige Rückständigkeit seines Zöglings zu beurteilen, wurde nun ernstlich neugierig, wie weit diese einseitige sonderbare Begabung einer strengeren Prüfung standhalten würde. Nachdem er Mirko bei dem Dorfbarbier die struppigen strohblonden Haare hatte schneiden lassen, um ihn einigermaßen präsentabel zu machen, nahm er ihn mit seinem Schlitten in die kleine Nachbarstadt, wo er im Café des Hauptplatzes eine Ecke mit enragierten Schachspielern wusste, denen er selbst erfahrungsgemäß nicht gewachsen war. Es erregte bei der ansässigen Runde nicht geringes Staunen, als der Pfarrer den fünfzehnjährigen strohblonden und rotbäckigen Burschen in seinem nach innen getragenen Schafspelz und schweren hohen Schaftstiefeln in das Kaffeehaus schob, wo der Junge befremdet mit scheu niedergeschlagenen Augen in einer Ecke stehenblieb, bis man ihn zu einem der Schachtische hinrief. In der ersten Partie wurde Mirko geschlagen, da er die sogenannte sizilianische Eröffnung bei dem guten Pfarrer nie gesehen hatte. In der zweiten Partie kam er schon gegen den besten Spieler auf Remis. Von der dritten und vierten an schlug er sie alle, einen nach dem andern.

Nun ereignen sich in einer kleinen südslawischen Provinzstadt höchst selten aufregende Dinge; so wurde das erste Auftreten dieses bäuerlichen Champions für die versammelten Honoratioren unverzüglich zur Sensation. Einstimmig wurde beschlossen, der Wunderknabe müsse unbedingt noch bis zum nächsten Tage in der Stadt bleiben, damit man die anderen Mitglieder des Schachklubs zusammenrufen und vor allem den alten Graf Simczic, einen Fanatiker des Schachspiels, auf seinem Schlosse verständigen könne. Der Pfarrer, der mit einem ganz neuen Stolz auf seinen Pflegling blickte, aber über seiner Entdeckerfreude doch seinen pflichtgemäßen Sonntagsgottesdienst nicht versäumen wollte, erklärte sich bereit, Mirko für eine weitere Probe zurückzulassen. Der junge Czentovic wurde auf Kosten der Schachecke im Hotel einquartiert und sah an diesem Abend zum erstenmal ein Wasserklosett. Am folgenden Sonntagnachmittag war der Schachraum überfüllt. Mirko, unbeweglich vier Stunden vor dem Brett sitzend, besiegte, ohne ein Wort zu sprechen oder auch nur aufzuschauen, einen Spieler nach dem andern; schließlich wurde eine Simultanpartie vorgeschlagen. Es dauerte eine Weile, ehe man dem Unbelehrten begreiflich machen konnte, dass bei einer Simultanpartie er allein gleichzeitig gegen die verschiedenen Spieler zu kämpfen hätte. Aber sobald Mirko diesen Usus begriffen, fand er sich rasch in die Aufgabe, ging mit seinen schweren, knarrenden Schuhen langsam von Tisch zu Tisch und gewann schließlich sieben von den acht Partien.

Nun begannen große Beratungen. Obwohl dieser neue Champion im strengeren Sinne nicht zur Stadt gehörte, war doch der heimische Nationalstolz lebhaft entzündet. Vielleicht konnte endlich die kleine Stadt, deren Vorhandensein auf der Landkarte kaum jemand bisher wahrgenommen, zum erstenmal sich die Ehre erwerben, einen berühmten Mann in die Welt zu schicken. Ein Agent namens Koller, sonst nur Chansonetten und Sängerinnen für das Kabarett der Garnison vermittelnd, erklärte sich bereit, sofern man den Zuschuss für ein Jahr leiste, den jungen Menschen in Wien von einem ihm bekannten ausgezeichneten kleinen Meister fachmäßig in der Schachkunst ausbilden zu lassen. Graf Simczic, dem in sechzig Jahren täglichen Schachspiels nie ein so merkwürdiger Gegner entgegengetreten war, zeichnete sofort den Betrag. Mit diesem Tage begann die erstaunliche Karriere des Schiffersohnes.

Nach einem halben Jahr beherrschte Mirko sämtliche Geheimnisse der Schachtechnik, allerdings mit einer seltsamen Einschränkung, die später in den Fachkreisen viel beobachtet und bespöttelt wurde. Denn Czentovic brachte es nie dazu, auch nur eine einzige Schachpartie auswendig

– oder wie man fachgemäß sagt: blind – zu spielen. Ihm fehlte vollkommen die Fähigkeit, das Schachfeld in den unbegrenzten Raum der Phantasie zu stellen. Er musste immer das schwarz-weiße Karree mit den vierundsechzig Feldern und zweiunddreißig Figuren handgreiflich vor sich haben; noch zur Zeit seines Weltruhms führte er ständig ein zusammenlegbares Taschenschach mit sich, um, wenn er eine Meisterpartie rekonstruieren oder ein Problem für sich lösen wollte, sich die Stellung optisch vor Augen zu führen. Dieser an sich unbeträchtliche Defekt verriet einen Mangel an imaginativer Kraft und wurde in dem engeren Kreise ebenso lebhaft diskutiert, wie wenn unter Musikern ein hervorragender Virtuose oder Dirigent sich unfähig gezeigt hätte, ohne aufgeschlagene Partitur zu spielen oder zu dirigieren. Aber diese merkwürdige Eigenheit verzögerte keineswegs Mirkos stupenden Aufstieg. Mit siebzehn Jahren hatte er schon ein Dutzend Schachpreise gewonnen, mit achtzehn sich die ungarische Meisterschaft, mit zwanzig endlich die Weltmeisterschaft erobert. Die verwegensten Champions, jeder einzelne an intellektueller Begabung, an Phantasie und Kühnheit ihm unermesslich überlegen, erlagen ebenso seiner zähen und kalten Logik wie Napoleon dem schwerfälligen Kutusow, wie Hannibal dem Fabius Cunctator, von dem Livius berichtet, dass er gleichfalls in seiner Kindheit derart auffällige Züge von Phlegma und Imbezillität gezeigt habe. So geschah es, dass in die illustre Galerie der Schachmeister, die in ihren Reihen die verschiedensten Typen intellektueller Überlegenheit vereinigt, Philosophen, Mathematiker, kalkulierende, imaginierende und oft schöpferische Naturen, zum erstenmal ein völliger Outsider der geistigen Welt einbrach, ein schwerer, maulfauler Bauernbursche, aus dem auch nur ein einziges publizistisch brauchbares Wort herauszulocken selbst den gerissensten Journalisten nie gelang. Freilich, was Czentovic den Zeitungen an geschliffenen Sentenzen vorenthielt, ersetzte er bald reichlich durch Anekdoten über seine Person. Denn rettungslos wurde mit der Sekunde, da er vom Schachbrette aufstand, wo er Meister ohnegleichen war, Czentovic zu einer grotesken und beinahe komischen Figur; trotz seines feierlichen schwarzen Anzuges, seiner pompösen Krawatte mit der etwas aufdringlichen Perlennadel und seiner mühsam manikürten Finger blieb er in seinem Gehaben und seinen Manieren derselbe beschränkte Bauernjunge, der im Dorf die Stube des Pfarrers gefegt. Ungeschickt und geradezu schamlos plump suchte er zum Gaudium und zum Ärger seiner Fachkollegen aus seiner Begabung und seinem Ruhm mit einer kleinlichen und sogar oft ordinären Habgier herauszuholen, was an Geld herauszuholen war. Er reiste von Stadt zu Stadt, immer in den billigsten Hotels wohnend, er spielte in den kläglichsten Vereinen, sofern man ihm sein Honorar bewilligte, er ließ sich abbilden auf Seifenreklamen und verkaufte sogar, ohne auf den Spott seiner Konkurrenten zu achten, die genau wussten, dass er nicht imstande war, drei Sätze richtig zu schreiben, seinen Namen für eine »Philosophie des Schachs«, die in Wirklichkeit ein kleiner galizischer Student für den geschäftstüchtigen Verleger geschrieben. Wie allen zähen Naturen fehlte ihm jeder Sinn für das Lächerliche; seit seinem Siege im Weltturnier hielt er sich für den wichtigsten Mann der Welt, und das Bewusstsein, all diese gescheiten, intellektuellen, blendenden Sprecher und Schreiber auf ihrem eigenen Feld geschlagen zu haben und vor allem die handgreifliche Tatsache, mehr als sie zu verdienen, verwandelte die ursprüngliche Unsicherheit in einen kalten und meist plump zur Schau getragenen Stolz.

»Aber wie sollte ein so rascher Ruhm nicht einen so leeren Kopf beduseln?«, schloss mein Freund, der mir gerade einige klassische Proben von Czentovics kindischer Präpotenz anvertraut hatte. »Wie sollte ein einundzwanzigjähriger Bauernbursche aus dem Banat nicht den Eitelkeitskoller kriegen, wenn er plötzlich mit ein bisschen Figurenherumschieben auf einem Holzbrett in einer Woche mehr verdient als sein ganzes Dorf daheim mit Holzfällen und den bittersten Abrackereien in einem ganzen Jahr? Und dann, ist es nicht eigentlich verflucht leicht, sich für einen großen Menschen zu halten, wenn man nicht mit der leisesten Ahnung belastet ist, dass ein Rembrandt, ein Beethoven, ein Dante, ein Napoleon je gelebt haben? Dieser Bursche weiß in seinem vermauerten Gehirn nur das eine, dass er seit Monaten nicht eine einzige Schachpartie verloren hat, und da er eben nicht ahnt, dass es außer Schach und Geld noch andere Werte auf unserer Erde gibt, hat er allen Grund, von sich begeistert zu sein.«

Diese Mitteilungen meines Freundes verfehlten nicht, meine besondere Neugierde zu erregen. Alle Arten von monomanischen, in eine einzige Idee verschlossenen Menschen haben mich zeitlebens angereizt, denn je mehr sich einer begrenzt, um so mehr ist er andererseits dem Unendlichen nah; gerade solche scheinbar Weltabseitigen bauen in ihrer besonderen Materie sich termitenhaft eine merkwürdige und durchaus einmalige Abbreviatur der Welt. So machte ich aus meiner Absicht, dieses sonderbare Spezimen intellektueller Eingleisigkeit auf der zwölftägigen Fahrt bis Rio näher unter die Lupe zu nehmen, kein Hehl.

»Jedoch, da werden Sie wenig Glück haben«, warnte mein Freund. »Soviel ich weiß, ist es noch keinem gelungen, aus Czentovic das Geringste an psychologischem Material herauszuholen. Hinter all seiner abgründigen Beschränktheit verbirgt dieser gerissene Bauer die große Klugheit, sich keine Blößen zu geben, und zwar dank der simplen Technik, dass er außer mit Landsleuten seiner eigenen Sphäre, die er sich in kleinen Gasthäusern zusammensucht, jedes Gespräch vermeidet. Wo er einen gebildeten Menschen spürt, kriecht er in sein Schneckenhaus; so kann niemand sich rühmen, je ein dummes Wort von ihm gehört oder die angeblich unbegrenzte Tiefe seiner Unbildung ausgemessen zu haben.«

Mein Freund sollte in der Tat recht behalten. Während der ersten Tage der Reise erwies es sich als vollkommen unmöglich, an Czentovic ohne grobe Zudringlichkeit, die schließlich nicht meine Sache ist, heranzukommen. Manchmal schritt er zwar über das Promenadedeck, aber dann immer die Hände auf dem Rücken verschränkt mit jener stolz in sich versenkten Haltung, wie Napoleon auf dem bekannten Bilde; außerdem erledigte er immer so eilig und stoßhaft seine peripatetische Deckrunde, dass man ihm hätte im Trab nachlaufen müssen, um ihn ansprechen zu können. In den Gesellschaftsräumen wiederum, in der Bar, im Rauchzimmer zeigte er sich niemals; wie mir der Steward auf vertrauliche Erkundigung hin mitteilte, verbrachte er den Großteil des Tages, in seiner Kabine auf einem mächtigen Brett Schachpartien einzuüben oder zu rekapitulieren.

Nach drei Tagen begann ich mich tatsächlich zu ärgern, dass seine zähe Abwehrtechnik geschickter war als mein Wille, an ihn heranzukommen. Ich hatte in meinem Leben noch nie Gelegenheit gehabt, die persönliche Bekanntschaft eines Schachmeisters zu machen, und je mehr ich mich jetzt bemühte, mir einen solchen Typus zu personifizieren, umso unvorstellbarer schien mir eine Gehirntätigkeit, die ein ganzes Leben lang ausschließlich um einen Raum von vierundsechzig schwarzen und weißen Feldern rotiert. Ich wusste wohl aus eigener Erfahrung um die geheimnisvolle Attraktion des »königlichen Spiels«, dieses einzigen unter allen Spielen, die der Mensch ersonnen, das sich souverän jeder Tyrannis des Zufalls entzieht und seine Siegespalmen einzig dem Geist oder vielmehr einer bestimmten Form geistiger Begabung zuteilt. Aber macht man sich nicht bereits einer beleidigenden Einschränkung schuldig, indem man Schach ein Spiel nennt? Ist es nicht auch eine Wissenschaft, eine Technik, eine Kunst, schwebend zwischen diesen Kategorien wie der Sarg Mohammeds zwischen Himmel und Erde, eine einmalige Bindung aller Gegensätzepaare: uralt und doch ewig neu, mechanisch in der Anlage und doch nur wirksam durch Phantasie, begrenzt in geometrisch starrem Raum und dabei unbegrenzt in seinen Kombinationen, ständig sich entwickelnd und doch steril, ein Denken, das zu nichts führt, eine Mathematik, die nichts errechnet, eine Kunst ohne Werke, eine Architektur ohne Substanz und nichts destominder erwiesenermaßen dauerhafter in seinem Sein und Dasein als alle Bücher und Werke, das einzige Spiel, das allen Völkern und allen Zeiten zugehört und von dem niemand weiß, welcher Gott es auf die Erde gebracht, um die

Langeweile zu töten, die Sinne zu schärfen, die Seele zu spannen. Wo ist bei ihm Anfang und wo das Ende: jedes Kind kann seine ersten Regeln erlernen, jeder Stümper sich in ihm versuchen, und doch vermag es innerhalb dieses unveränderbar engen Quadrats eine besondere Spezies von Meistern zu erzeugen, unvergleichbar allen andern, Menschen mit einer einzig dem Schach zubestimmten Begabung, spezifische Genies, in denen Vision, Geduld und Technik in einer ebenso genau bestimmten Verteilung wirksam sind wie im Mathematiker, im Dichter, im Musiker, und nur in anderer Schichtung und Bindung. In früheren Zeiten physiognomischer Leidenschaft hätte ein Gall vielleicht die Gehirne solcher Schachmeister seziert um festzustellen, ob bei solchen Schachgenies eine besondere Windung in der grauen Masse des Gehirns, eine Art Schachmuskel oder Schachhöcker sich intensiver eingezeichnet fände als in anderen Schädeln. Und wie hätte einen solchen Physiognomiker erst der Fall eines Czentovic angereizt, wo dies spezifische Genie eingesprengt erscheint in eine absolute intellektuelle Trägheit wie ein einzelner Faden Gold in einem Zentner tauben Gesteins. Im Prinzip war mir die Tatsache von jeher verständlich, dass ein derart einmaliges, ein solches geniales Spiel sich spezifische Matadore schaffen müsste, aber wie schwer, wie unmöglich doch, sich das Leben eines geistig regsamen Menschen vorzustellen, dem sich die Welt einzig auf die enge Einbahn zwischen Schwarz und Weiß reduziert, der in einem bloßen Hin und Her, Vor und Zurück von zweiunddreißig Figuren seine Lebenstriumphe sucht, einen Menschen, dem bei einer neuen Eröffnung den Springer vorzuziehen statt des Bauern schon Großtat und sein ärmliches Eckchen Unsterblichkeit im Winkel eines Schachbuches bedeutet – einen Menschen, einen geistigen Menschen, der ohne wahnsinnig zu werden, zehn, zwanzig, dreißig, vierzig Jahre lang die ganze Spannkraft seines Denkens immer und immer wieder an den lächerlichen Einsatz wendet, einen hölzernen König auf einem hölzernen Brett in den Winkel zu drängen!

Und nun war ein solches Phänomen, ein solches sonderbares Genie oder ein solcher rätselhafter Narr mir räumlich zum erstenmal ganz nahe, sechs Kabinen weit auf demselben Schiff, und ich Unseliger, für den Neugier in geistigen Dingen immer zu einer Art Passion ausartet, sollte nicht imstande sein, mich ihm zu nähern. Ich begann mir die absurdesten Listen auszudenken: etwa ihn in seiner Eitelkeit zu kitzeln, indem ich ihm ein angebliches Interview für eine wichtige Zeitung vortäuschte, oder bei seiner Habgier zu packen dadurch, dass ich ihm ein einträgliches Turnier in Schottland proponierte. Aber schließlich erinnerte ich mich, dass die bewährteste Technik der Jäger, den Auerhahn an sich heranzulocken, darin besteht, dass sie seinen Balzschrei nachahmen; was konnte eigentlich wirksamer sein, um die Aufmerksamkeit eines Schachmeisters auf sich zu ziehen, als indem man selber Schach spielt?

Nun bin ich zeitlebens nie ein ernstlicher Schachkünstler gewesen und zwar aus dem einfachen Grunde, dass ich mich mit Schach immer bloß leichtfertig und ausschließlich zu meinem Vergnügen befasste; wenn ich mich für eine Stunde vor das Brett setze, geschieht dies keineswegs, um mich anzustrengen, sondern im Gegenteil, um mich von geistiger Anspannung zu entlasten. Ich »spiele« Schach im wahrsten Sinne des Wortes, während die andern, die wirklichen Schachspieler, Schach »ernsten«, um ein verwegenes neues Wort in die mir von Hitler verbotene deutsche Sprache einzuführen. Für Schach ist nun wie für die Liebe ein Partner unentbehrlich und ich wusste zur Stunde noch nicht, ob sich außer uns andere Schachliebhaber an Bord befanden. Um sie aus ihren Höhlen herauszulocken, stellte ich im Smoking Room eine primitive Falle auf, indem ich mich mit meiner Frau, obwohl sie noch schwächer spielt als ich, vogelstellerisch vor ein Schachbrett setzte. Und tatsächlich, wir hatten noch nicht sechs Züge getan, so blieb schon jemand im Vorübergehen stehen, ein zweiter erbat die Erlaubnis, zusehen zu dürfen; schließlich fand sich auch der erwünschte Partner, der mich zu einer Partie herausforderte. Er hieß McConnor und war ein schottischer Tiefbauingenieur, der wie ich hörte, bei Ölbohrungen in Kalifornien sich ein großes Vermögen gemacht hatte, von äußerem Ansehen ein stämmiger Mensch mit starken, fast quadratisch harten Kinnbacken, kräftigen Zähnen und einer satten Gesichtsfarbe, deren prononcierte Rötlichkeit wahrscheinlich zumindest teilweise reichlichem Genuss von Whisky zu verdanken war. Die auffällig breiten, fast athletisch vehementen Schultern machten sich leider auch im Spiel charaktermäßig bemerkbar, denn dieser Mister McConnor gehörte zu jener Sorte selbstbesessener Erfolgsmenschen, die auch im belanglosesten Spiel eine Niederlage schon als Herabsetzung ihres Persönlichkeitsbewusstseins empfinden. Gewöhnt, sich im Leben rücksichtslos durchzusetzen und verwöhnt vom faktischen Erfolg, war dieser massive Selfmade-man derart unerschütterlich von seiner Überlegenheit durchdrungen, dass jeder Widerstand ihn als ungebührliche Auflehnung und beinahe Beleidigung erregte. Als er die erste Partie verlor, wurde er mürrisch und begann umständlich und diktatorisch zu erklären, dies könne nur durch eine momentane Unaufmerksamkeit geschehen sein, bei der dritten machte er den Lärm im Nachbarraum für sein Versagen verantwortlich; nie war er gewillt, eine Partie zu verlieren, ohne sofort Revanche zu fordern. Anfangs amüsierte mich diese ehrgeizige Verbissenheit; schließlich nahm ich sie nur mehr als unvermeidliche Begleiterscheinung für meine eigentliche Absicht hin, den Weltmeister an unseren Tisch zu locken.

Am dritten Tage gelang es und gelang doch nur halb. Sei es, dass Czentovic uns vom Promenadedeck aus durch das Bordfenster vor dem Schachbrett beobachtet oder er nur zufälligerweise den Smoking Room mit seiner Anwesenheit beehrte – jedenfalls trat er, sobald er uns Unberufene seine Kunst ausüben sah, unwillkürlich einen Schritt näher und warf aus dieser gemessenen Distanz einen prüfenden Blick auf unser Brett. McConnor war gerade am Zuge. Und schon dieser eine Zug schien ausreichend, um Czentovic zu belehren, wie wenig ein weiteres Verfolgen unserer dilettantischen Bemühungen seines meisterlichen Interesses würdig sei. Mit derselben selbstverständlichen Geste, mit der unsereiner in einer Buchhandlung einen angebotenen schlechten Detektivroman weglegt, ohne ihn auch nur anzublättern, trat er von unserem Tische fort und verließ den Smoking Room. »Gewogen und zu leicht befunden«, dachte ich mir, ein bisschen verärgert durch diesen kühlen, verächtlichen Blick, und um meinem Unmut irgendwie Luft zu machen, äußerte ich zu McConnor:

»Ihr Zug scheint den Meister nicht sehr begeistert zu haben.«

»Welchen Meister?«

Ich erklärte ihm, jener Herr, der eben an uns vorübergegangen und mit missbilligendem Blick auf unser Spiel gesehen, sei der Weltschachmeister Czentovic gewesen. Nun, fügte ich bei, wir beide würden es überstehen, und ohne Herzleid uns mit seiner illustren Verachtung abfinden; arme Leute müssten eben mit Wasser kochen. Aber zu meiner Überraschung übte auf McConnor meine lässige Mitteilung eine völlig unerwartete Wirkung. Er wurde sofort erregt, vergaß unsere Partie, und sein Ehrgeiz begann geradezu hörbar zu pochen. Er habe keine Ahnung gehabt, dass Czentovic an Bord sei und Czentovic müsse unbedingt gegen ihn spielen. Er habe noch nie im Leben gegen einen Weltmeister gespielt außer einmal bei einer Simultanpartie mit vierzig anderen; schon das sei furchtbar spannend gewesen und er habe damals beinahe gewonnen. Ob ich den Schachmeister persönlich kenne? Ich verneinte. Ob ich ihn nicht ansprechen wolle und zu uns bitten? Ich lehnte ab mit der Begründung, Czentovic sei meines Wissens für neue Bekanntschaften nicht sehr zugänglich. Außerdem, was für einen Reiz sollte es einem Weltmeister bieten, mit uns drittklassigen Spielern sich abzugeben?

Nun, das von den drittklassigen Spielern hätte ich zu einem dermaßen ehrgeizigen Manne wie McConnor lieber nicht äußern sollen. Er lehnte sich verärgert zurück und erklärte schroff, er für seinen Teil könne nicht glauben, dass Czentovic die höfliche Aufforderung eines Gentlemans ablehnen werde; dafür werde er schon sorgen. Auf seinen Wunsch gab ich ihm eine kurze Personenbeschreibung des Weltmeisters und schon stürmte er, unser Schachbrett gleichgültig im Stich lassend, in unbeherrschter Ungeduld

Czentovic auf das Promenadedeck nach. Wieder spürte ich, dass der Besitzer dermaßen breiter Schultern nicht zu halten war, sobald er einmal seinen Willen in eine Sache geworfen.

Ich wartete ziemlich gespannt. Nach etwa zehn Minuten kehrte McConnor zurück, nicht sehr aufgeräumt, wie mir schien.

»Nun?«, fragte ich.

»Sie haben recht gehabt«, antwortete er etwas verärgert. »Kein sehr angenehmer Herr. Ich stellte mich vor, erklärte ihm, wer ich sei. Er reichte mir nicht einmal die Hand. Ich versuchte ihm auseinanderzusetzen, wie stolz und geehrt wir alle an Bord sein würden, wenn er eine Simultanpartie gegen uns spielen wollte. Aber er hielt seinen Rücken verflucht steif; es täte ihm leid, aber er habe kontraktliche Verpflichtungen gegen seinen Agenten, die ihm ausdrücklich untersagten, während seiner ganzen Tournee ohne Honorar zu spielen. Sein Minimum sei zweihundertfünfzig Dollar pro Partie.«

Ich lachte. »Auf diesen Gedanken wäre ich eigentlich nie geraten, dass Figuren von Schwarz auf Weiß zu schieben ein derart einträgliches Geschäft sein kann. Nun, ich hoffe, Sie haben sich ebenso höflich empfohlen.«

Aber McConnor blieb vollkommen ernst. »Die Partie ist für morgen nachmittags drei Uhr angesetzt. Hier im Rauchsalon. Ich hoffe, wir werden uns nicht so leicht zu Brei schlagen lassen.«

»Wie? Sie haben ihm die zweihundertfünfzig Dollar bewilligt?«, rief ich ganz betroffen aus.

»Warum nicht? C'est son métier. Wenn ich Zahnschmerzen hätte und es wäre zufällig ein Zahnarzt an Bord, würde ich auch nicht verlangen, dass er mir den Zahn umsonst ziehen soll. Der Mann hat ganz recht, dicke Preise zu machen; in jedem Fach sind die wirklichen Könner auch die besten Geschäftsleute. Und was mich betrifft: je klarer ein Geschäft, umso besser. Ich zahle lieber in Cash, als mir von einem Herrn Czentovic Gnaden erweisen zu lassen und mich am Ende noch bei ihm bedanken zu müssen. Schließlich habe ich in unserem Klub schon mehr an einem Abend verloren als zweihundertfünfzig Dollar und dabei mit keinem Weltmeister gespielt. Für ›drittklassige‹ Spieler ist es keine Schande, von einem Czentovic umgelegt zu werden.«

Es amüsierte mich, zu bemerken, wie tief ich McConnors Selbstgefühl mit dem einen unschuldigen Wort »drittklassiger Spieler« gekränkt hatte. Aber da er den teuren Spaß zu bezahlen gesonnen war, hatte ich nichts einzuwenden gegen seinen deplacierten Ehrgeiz, der mir endlich die Bekanntschaft meines Kuriosums vermitteln sollte. Wir verständigten eiligst die vier oder fünf Herren, die sich bisher als Schachspieler deklariert hatten, von dem bevorstehenden Ereignis und ließen, um von durchgehenden Passanten möglichst wenig gestört zu werden, nicht nur unseren Tisch sondern auch die Nachbartische für das bevorstehende Match im voraus reservieren.

Am nächsten Tage war unsere kleine Gruppe zur vereinbarten Stunde vollzählig erschienen. Der Mittelplatz gegenüber dem Meister blieb selbstverständlich McConnor zugeteilt, der seine Nervosität entlud, indem er eine schwere Zigarre nach der andern anzündete und immer wieder unruhig auf die Uhr blickte. Aber der Weltmeister ließ – ich hatte nach den Erzählungen meines Freundes derlei schon geahnt – gute zehn Minuten auf sich warten, wodurch allerdings sein Erscheinen dann erhöhten Aplomb erhielt. Er trat ruhig und gelassen auf den Tisch zu. Ohne sich vorzustellen – »Ihr wisst, wer ich bin, und wer ihr seid, interessiert mich nicht«, schien diese Unhöflichkeit zu besagen – begann er mit fachmännischer Trockenheit die sachlichen Anordnungen. Da eine Simultanpartie hier an Bord mangels an verfügbaren Schachbrettern unmöglich sei, schlage er vor, dass wir alle gemeinsam gegen ihn spielen sollten. Nach jedem Zuge werde er, um unsere Beratungen nicht zu stören, sich zu einem anderen Tisch am Ende des Raumes verfügen. Sobald wir unseren Gegenzug getan, sollten wir, da bedauerlicherweise keine Tischglocke zur Hand sei, mit dem Löffel gegen ein Glas klopfen. Als maximale Zugzeit schlage er zehn Minuten vor, falls wir keine andere Einteilung wünschten. Wir pflichteten selbstverständlich wie schüchterne Schüler jedem Vorschlage bei. Die Farbenwahl teilte Czentovic Schwarz zu; noch im Stehen tat er den ersten Gegenzug und wandte sich dann gleich dem von ihm vorgeschlagenen Warteplatz zu, wo er lässig hingelehnt eine illustrierte Zeitung durchblätterte.

Es hat wenig Sinn, über die Partie zu berichten. Sie endete selbstverständlich, wie sie enden musste, mit unserer totalen Niederlage und zwar bereits beim vierundzwanzigsten Zuge. Dass nun ein Weltschachmeister ein halbes Dutzend mittlerer oder untermittlerer Spieler mit der linken Hand niederfegt, war an sich wenig erstaunlich; verdrießlich wirkte eigentlich auf uns alle nur die präpotente Art, mit der Czentovic es uns allzu deutlich fühlen ließ, dass er uns mit der linken Hand erledigte. Er warf jedesmal nur einen scheinbar flüchtigen Blick auf das Brett, sah an uns so lässig vorbei, als ob wir selbst tote Holzfiguren wären, und diese impertinente Geste erinnerte unwillkürlich an die, mit der man einem räudigen Hund abgewendeten Blicks einen Brocken zuwirft. Bei einiger Feinfühligkeit hätte er meiner Meinung nach uns auf Fehler aufmerksam machen können oder durch ein freundliches Wort aufmuntern. Aber auch nach Beendigung der Partie äußerte dieser unmenschliche Schachautomat keine Silbe, sondern wartete, nachdem er »Matt« gesagt, regungslos vor dem Tische, ob man noch eine zweite Partie von ihm wünsche. Schon war ich aufgestanden, um, hilflos wie man immer gegen dickfellige Grobheit bleibt, durch eine Geste anzudeuten, dass mit diesem erledigten Dollargeschäft wenigstens meinerseits das Vergnügen unserer Bekanntschaft beendet sei, als zu meinem Ärger neben mir McConnor mit ganz heiserer Stimme sagte: »Revanche!«

Ich erschrak geradezu über den herausfordernden Ton; tatsächlich bot McConnor in diesem Augenblick eher den Eindruck eines Boxers vor dem Losschlagen als den eines höflichen Gentlemans. War es die unangenehme Art der Behandlung, die uns Czentovic hatte zuteil werden lassen oder nur sein pathologisch reizbarer Ehrgeiz – jedenfalls war McConnors Wesen vollkommen verändert. Rot im Gesicht bis hoch hinauf an das Stirnhaar, die Nüstern von innerem Druck stark aufgespannt, transpirierte er sichtlich, und von den verbissenen Lippen schnitt sich scharf eine Falte gegen sein kämpferisch vorgerecktes Kinn. Ich erkannte beunruhigt in seinen Augen jenes Flackern unbeherrschbarer Leidenschaft, wie sie sonst Menschen nur am Roulettetisch ergreift, wenn zum sechsten- oder siebentenmal bei immer verdoppeltem Einsatz nicht die richtige Farbe kommt. In diesem Augenblick wusste ich, dieser fanatisch Ehrgeizige würde, und sollte es ihn sein ganzes Vermögen kosten, gegen Czentovic so lange spielen und spielen und spielen, einfach oder doubliert, bis er wenigstens ein einziges Mal eine Partie gewonnen. Wenn Czentovic durchhielt, so hatte er an McConnor eine Goldgrube gefunden, aus der er bis Buenos Aires ein paar tausend Dollar schaufeln konnte.

Czentovic blieb unbewegt. »Bitte«, antwortete er höflich. »Die Herren spielen jetzt Schwarz.«

Auch die zweite Partie bot kein verändertes Bild, außer dass durch einige Neugierige unser Kreis nicht nur größer sondern auch lebhafter geworden war. McConnor blickte so starr auf das Brett, als wollte er die Figuren mit seinem Willen zu gewinnen magnetisieren; ich spürte ihm an, dass er auch tausend Dollar begeistert geopfert hätte für den Lustschrei »Matt!« gegen den kaltschnäuzigen Gegner. Merkwürdigerweise ging etwas von seiner verbissenen Erregung unbewusst in uns über. Jeder einzelne Zug wurde ungleich leidenschaftlicher diskutiert als vordem, immer hielten wir noch im letzten Moment einer den andern zurück, ehe wir uns einigten, das Zeichen zu geben, das Czentovic an unseren Tisch zurückrief. Allmählich waren wir beim siebzehnten Zuge angelangt und zu unserer eigenen Überraschung war eine Konstellation eingetreten, die verblüffend vorteilhaft schien, weil es uns gelungen war, den Bauern der c-Linie bis auf das vorletzte Feld c2 zu bringen; wir brauchten ihn nur vorzuschieben auf c1, um eine neue Dame zu gewinnen. Ganz behaglich war uns freilich nicht bei dieser allzu offenkundigen Chance; wir argwöhnten einmütig, dieser scheinbar von uns errungene Vorteil müsse von Czentovic, der doch die Situation viel weitblickender übersah, mit Absicht uns als Angelhaken zugeschoben sein. Aber trotz angestrengtem gemeinsamen Suchen und Diskutieren vermochten wir die versteckte Finte nicht wahrzunehmen. Schließlich, schon knapp am Rande der verstatteten Überlegungsfrist, entschlossen wir uns, den Zug zu wagen. Schon rührte McConnor den Bauern an, um ihn auf das letzte Feld zu schieben, als er sich jäh am Arm gepackt fühlte und jemand leise und heftig flüsterte: »Um Gotteswillen! Nicht!«

Unwillkürlich wandten wir uns alle um. Ein Herr von etwa fünfundvierzig Jahren, dessen schmales scharfes Gesicht mir schon vordem auf der Deckpromenade durch seine merkwürdige, fast kreidige Blässe aufgefallen war, musste in den letzten Minuten, indes wir unsere ganze Aufmerksamkeit dem Problem zuwandten, zu uns getreten sein. Hastig fügte er, unseren Blick spürend, hinzu:

»Wenn Sie jetzt eine Dame machen, schlägt er sie sofort mit dem Läufer c1, Sie nehmen mit dem Springer zurück ... Aber inzwischen geht er mit seinem Freibauern auf d7, bedroht Ihren Turm, und auch wenn Sie mit dem Springer Schach sagen, verlieren Sie und sind nach neun bis zehn Zügen erledigt. Es ist beinahe dieselbe Konstellation, wie sie Aljechin gegen Bogoljubow 1922 im Pistyaner Großturnier initiiert hat.«

McConnor ließ erstaunt die Hand von der Figur und starrte nicht minder verwundert als wir alle auf den Mann, der wie ein unvermuteter Engel helfend vom Himmel kam. Jemand, der auf neun Züge im voraus ein Matt berechnen konnte, musste ein Fachmann ersten Ranges sein, vielleicht sogar ein Konkurrent um die Meisterschaft, der zum gleichen Turnier reiste und sein plötzliches Kommen, sein Eingreifen gerade in einem so kritischen Moment hatte etwas fast Übernatürliches. Als erster fasste sich McConnor zusammen:

»Was würden Sie raten?«, flüsterte er aufgeregt.

»Nicht gleich vorziehen, sondern zunächst ausweichen! Vor allem mit dem König abrücken aus der gefährdeten Linie von g8 auf h7. Er wird wahrscheinlich den Angriff dann auf die andere Flanke hinüberwerfen. Aber das parieren Sie mit Turm c8–c4; das kostet ihn in zwei Tempis einen Bauern und damit die Überlegenheit. Dann steht Freibauer gegen Freibauer, und wenn Sie sich richtig defensiv halten, kommen Sie noch auf Remis. Mehr ist nicht herauszuholen.«

Wir staunten abermals. Die Präzision nicht minder als die Raschheit seiner Berechnung hatte etwas Verwirrendes; es war, als ob er die Züge aus einem gedruckten Buche ablesen würde. Immerhin wirkte die unvermutete Chance, dank seines Eingreifens unsere Partie gegen einen Weltmeister auf Remis zu bringen, zauberisch. Einmütig rückten wir zur Seite, um ihm freieren Blick auf das Brett zu gewähren. Noch einmal fragte McConnor:

»Also König g8 auf h7?«

»Jawohl! Ausweichen vor allem!«

McConnor gehorchte und wir klopften an das Glas. Czentovic trat mit seinem gewohnt-gleichmütigen Schritt an unseren Tisch und maß mit einem einzigen Blick den Gegenzug. Dann zog er auf dem Königsflügel den Bauern h2–h4, genau wie es unser unbekannter Helfer vorausgesagt. Und schon flüsterte dieser aufgeregt:

»Turm vor, Turm vor, c8 auf c4, er muss dann zuerst den Bauern decken. Aber das wird ihm nichts helfen! Sie schlagen, ohne sich um seinen Freibauern zu kümmern, mit dem Springer c3–d5, und das Gleichgewicht ist wieder hergestellt. Den ganzen Druck nach vorwärts, statt zu verteidigen.«

Wir verstanden nicht, was er meinte. Für uns war, was er sagte, chinesisch. Aber schon einmal in seinem Bann, zog McConnor, ohne zu überlegen, wie jener geboten. Wir schlugen abermals an das Glas, um Czentovic zurückzurufen. Zum erstenmale entschied er sich nicht rasch, sondern blickte gespannt auf das Brett. Unwillkürlich schoben sich seine Brauen zusammen. Dann tat er genau den Zug, den der Fremde uns angekündigt und wandte sich zum Gehen. Jedoch ehe er zurücktrat, geschah etwas Neues und Unerwartetes. Czentovic hob den Blick und musterte unsere Reihen; offenbar wollte er herausfinden, wer ihm mit einemmale so energischen Widerstand leistete.

Von diesem Augenblick an wuchs unsere Erregung ins Ungemessene. Bisher hatten wir ohne ernstliche Hoffnung gespielt, nun aber trieb der Gedanke, den kalten Hochmut Czentovics zu brechen, uns eine fliegende Hitze durch alle Pulse. Schon aber hatte unser neuer Freund den nächsten Zug angeordnet und wir konnten – die Finger zitterten mir, als ich den Löffel an das Glas schlug – Czentovic zurückrufen. Und nun kam unser erster Triumph. Czentovic, der bisher immer nur im Stehen gespielt, zögerte, zögerte und setzte sich schließlich nieder. Er setzte sich langsam und schwerfällig; damit aber war schon rein körperlich das bisherige Von-oben-herab zwischen ihm und uns aufgehoben. Wir hatten ihn genötigt, sich wenigstens räumlich auf eine Ebene mit uns zu begeben. Er überlegte lange, die Augen unbeweglich auf das Brett gesenkt, sodass man kaum mehr die Pupillen unter den schweren Lidern wahrnehmen konnte, und im angestrengten Nachdenken öffnete sich ihm allmählich der Mund, was seinem runden Gesicht ein etwas einfältiges Aussehen gab. Czentovic überlegte einige Minuten, dann tat er seinen Zug und stand auf. Und schon flüsterte unser Freund:

»Ein Hinhaltezug! Gut gedacht! Aber nicht darauf eingehen! Abtausch forcieren, unbedingt Abtausch, dann kommen wir auf Remis und kein Gott kann ihm helfen.«

McConnor gehorchte. Es begann in den nächsten Zügen zwischen den beiden – wir andern waren längst zu leeren Statisten herabgesunken – ein uns unverständliches Hin und Her. Nach etwa sieben Zügen sah Czentovic nach längerem Nachdenken auf und erklärte: »Remis!«

Einen Augenblick herrschte totale Stille. Man hörte plötzlich die Wellen rauschen und das Radio aus dem Salon herüberjazzen, man vernahm jeden Schritt von dem Promenadedeck und das leise feine Sausen des Winds, der durch die Fugen der Fenster fuhr. Keiner von uns atmete, es war zu plötzlich gekommen und wir alle noch geradezu erschrocken über das Unwahrscheinliche, dass dieser Unbekannte dem Weltmeister in einer schon halb verlorenen Partie seinen Willen aufgezwungen haben sollte. McConnor lehnte sich mit einem Ruck zurück, der zurückgehaltene Atem fuhr ihm hörbar in einem beglückten »Ah!« von den Lippen. Ich wiederum beobachtete Czentovic. Schon bei den letzten Zügen hatte mir geschienen, als ob er blässer geworden sei. Aber er verstand sich gut zusammenzuhalten. Er verharrte in seiner scheinbar gleichmütigen Starre und fragte nur in lässigster Weise, während er die Figuren mit ruhiger Hand vom Brette schob:

»Wünschen die Herren noch eine dritte Partie?«

Er stellte die Frage rein sachlich, rein geschäftlich. Aber das Merkwürdige war: er hatte dabei nicht McConnor angeblickt, sondern scharf und gerade das Auge gegen unseren Retter gehoben. Wie ein Pferd am festeren Sitz einen neuen, einen besseren Reiter, musste er an den letzten Zügen seinen wirklichen, seinen eigentlichen Gegner erkannt haben. Unwillkürlich folgten wir seinem Blick und sahen gespannt auf den Fremden. Jedoch ehe dieser sich besinnen oder gar antworten konnte, hatte in seiner ehrgeizigen Erregung McConnor schon triumphierend ihm zugerufen:

»Selbstverständlich! Aber jetzt müssen Sie allein gegen ihn spielen! Sie allein gegen Czentovic!«

Doch nun ereignete sich etwas Unvorhergesehenes. Der Fremde, der merkwürdigerweise noch immer angestrengt auf das schon abgeräumte Schachbrett starrte, schrak auf, da er alle Blicke auf sich gerichtet und sich so begeistert angesprochen fühlte. Seine Züge verwirrten sich.

»Auf keinen Fall, meine Herren«, stammelte er sichtlich betroffen. »Das ist völlig ausgeschlossen ... ich komme gar nicht in Betracht ... Ich habe seit zwanzig, nein, fünfundzwanzig Jahren vor keinem Schachbrett gesessen und ... und ich sehe erst jetzt, wie ungehörig ich mich betragen habe, indem ich mich ohne Ihre Verstattung in Ihr Spiel einmengte ... Bitte entschuldigen Sie meine Vordringlichkeit ... Ich will gewiss nicht weiter stören.« Und noch ehe wir uns von unserer Überraschung zurechtgefunden, hatte er sich bereits zurückgezogen und das Zimmer verlassen.

»Aber das ist doch ganz unmöglich!«, dröhnte der temperamentvolle McConnor, mit der Faust aufschlagend. »Völlig ausgeschlossen, dass dieser Mann fünfundzwanzig Jahre nicht Schach gespielt haben soll! Er hat doch jeden Zug, jede Gegenpointe auf fünf, auf sechs Züge vorausberechnet. So etwas kann niemand aus dem Handgelenk. Das ist doch völlig ausgeschlossen – nicht wahr?«

Mit der letzten Frage hatte sich McConnor unwillkürlich an Czentovic gewandt. Aber der Weltmeister blieb unerschütterlich kühl.

»Ich vermag darüber kein Urteil abzugeben. Jedenfalls hat der Herr etwas befremdlich und interessant gespielt; deshalb habe ich ihm auch absichtlich eine Chance gelassen.« Gleichzeitig lässig aufstehend fügte er in seiner sachlichen Art bei:

»Sollte der Herr oder die Herren morgen eine abermalige Partie wünschen, so stehe ich von drei Uhr ab zur Verfügung.«

Wir konnten ein leises Lächeln nicht unterdrücken. Jeder von uns wusste, dass Czentovic unserem unbekannten Helfer keineswegs großmütig eine Chance gelassen und diese seine Bemerkung nichts anderes als eine naive Ausflucht war, um sein eigenes Versagen zu maskieren. Umso heftiger wuchs unser Verlangen, einen derart unerschütterlichen Hochmut gedemütigt zu sehen. Mit einem Mal war über uns friedliche, lässige Bordbewohner eine wilde, ehrgeizige Kampflust gekommen, denn der Gedanke, dass gerade auf unserem Schiff mitten auf dem Ozean dem Schachmeister die Palme entrungen werden könnte – ein Rekord, der dann von allen Telegraphenbüros über die ganze Welt hingeblitzt würde – faszinierte uns in herausforderndster Weise. Dazu kam noch der Reiz des Mysteriösen, der von dem unerwarteten Eingreifen unseres Retters gerade im kritischen Momente ausging, und der Kontrast seiner fast ängstlichen Bescheidenheit mit dem unerschütterlichen Selbstbewusstsein des Professionellen. Wer war dieser Unbekannte? Hatte hier der Zufall ein noch unentdecktes Schachgenie zutage gefördert? Oder verbarg uns aus einem unerforschlichen Grunde ein berühmter Meister seinen Namen? Alle diese Möglichkeiten erörterten wir in aufgeregtester Weise: selbst die verwegensten Hypothesen waren uns nicht verwegen genug, um die rätselhafte Scheu und das überraschende Bekenntnis des Fremden mit seiner doch unverkennbaren Spielkunst in Einklang zu bringen. In einer Hinsicht jedoch blieben wir alle einig: keinesfalls auf das Schauspiel eines neuerlichen Kampfes zu verzichten. Wir beschlossen, alles zu versuchen, damit unser Helfer am nächsten Tage eine Partie gegen Czentovic spiele, für deren materielles Risiko McConnor aufzukommen sich verpflichtete. Da sich inzwischen durch Umfrage beim Steward herausgestellt hatte, dass der Unbekannte ein Österreicher sei, wurde mir als seinem Landsmann der Auftrag zugeteilt, ihm unsere Bitte zu unterbreiten.

Ich benötigte nicht lange, um auf dem Promenadedeck den so eilig Entflüchteten aufzufinden. Er lag auf seinem Deck-chair und las. Ehe ich auf ihn zutrat, nahm ich die Gelegenheit wahr, ihn zu betrachten. Der scharfgeschnittene Kopf ruhte in der Haltung leichter Ermüdung auf dem Kissen; abermals fiel mir die merkwürdige Blässe des verhältnismäßig jungen Gesichtes besonders auf, dem die Haare blendend weiß die Schläfen rahmten; ich hatte, ich weiß nicht warum, den Eindruck, dieser Mann müsse plötzlich gealtert sein. Kaum ich auf ihn zutrat, erhob er sich höflich und stellte sich mit einem Namen vor, der mir sofort vertraut war als der einer hochangesehenen altösterreichischen Familie. Ich erinnerte mich, dass ein Träger dieses Namens zu dem engsten Freundeskreis Schuberts gehört hatte und auch einer der Leibärzte des alten Kaisers dieser Familie entstammte. Als ich Dr. B. unsere Bitte übermittelte, die Herausforderung Czentovics anzunehmen, war er sichtlich verblüfft. Es erwies sich, dass er keine Ahnung gehabt hatte, bei jener Partie einen Weltmeister und gar den zur Zeit erfolgreichsten ruhmreich bestanden zu haben. Aus irgend einem Grunde schien diese Mitteilung auf ihn besonderen Eindruck zu machen, denn er erkundigte sich immer und immer wieder von neuem, ob ich dessen gewiss sei, dass sein Gegner tatsächlich ein anerkannter Weltmeister gewesen. Ich merkte bald, dass dieser Umstand meinen Auftrag erleichterte, und hielt es nur, seine Feinfühligkeit spürend, für ratsam, zu verschweigen, dass das materielle Risiko einer allfälligen Niederlage zu Lasten von McConnors Kasse ginge. Nach längerem Zögern erklärte sich Dr. B. schließlich zu einem Match bereit, doch nicht, ohne ausdrücklich gebeten zu haben, die anderen Herren nochmals zu warnen, sie möchten keineswegs auf sein Können übertriebene Hoffnungen setzen.

»Denn«, fügte er mit einem versonnenen Lächeln hinzu, »ich weiß wahrhaftig nicht, ob ich fähig bin, eine Schachpartie nach allen Regeln richtig zu spielen. Bitte glauben Sie mir, dass es keineswegs falsche Bescheidenheit war, wenn ich sagte, dass ich seit meiner Gymnasialzeit, also seit mehr als zwanzig Jahren, keine Schachfigur mehr berührt habe. Und selbst zu jener Zeit galt ich bloß als Spieler ohne sonderliche Begabung.«

Er sagte dies in einer so natürlichen Weise, dass ich nicht den leisesten Zweifel an seiner Aufrichtigkeit hegen durfte. Dennoch konnte ich nicht umhin, meiner Verwunderung Ausdruck zu geben, wie genau er an jede einzelne Kombination der verschiedensten Meister sich erinnern könne; immerhin müsse er sich doch wenigstens theoretisch mit Schach viel beschäftigt haben. Dr. B. lächelte abermals in jener merkwürdig traumhaften Art.

»Viel beschäftigt! – weiß Gott, das kann man wohl sagen, dass ich mich mit Schach viel beschäftigt habe. Aber das geschah unter ganz besonderen, ja völlig einmaligen Umständen. Es war dies eine ziemlich komplizierte Geschichte, und sie könnte allenfalls als kleiner Beitrag gelten zu unserer lieblichen großen Zeit. Wenn Sie eine halbe Stunde Geduld haben ...«

Er hatte auf den Deck-chair neben sich gedeutet. Gerne folgte ich seiner Einladung. Wir waren ohne Nachbarn. Dr. B. nahm die Lesebrille von den Augen, legte sie zur Seite und begann:

»Sie waren so freundlich zu äußern, dass Sie sich als Wiener des Namens meiner Familie erinnerten. Aber ich vermute, Sie werden kaum von der Rechtsanwaltskanzlei gehört haben, die ich gemeinsam mit meinem Vater und späterhin allein leitete, denn wir führten keine Causen, die publizistisch in der Zeitung abgehandelt wurden und vermieden aus Prinzip neue Klienten. In Wirklichkeit hatten wir eigentlich gar keine richtige Anwaltspraxis mehr, sondern beschränkten uns ausschließlich auf die Rechtsberatung und vor allem Vermögensverwaltung der großen Klöster, denen mein Vater als früherer Abgeordneter der klerikalen Partei nahe stand. Außerdem war uns – heute, da die Monarchie der Geschichte angehört, darf man wohl schon darüber sprechen – die Verwaltung der Fonds einiger Mitglieder der kaiserlichen Familie anvertraut. Diese Verbindungen zum Hof und zum Klerus – mein Onkel war Leibarzt des Kaisers, ein anderer Abt in Seitenstetten – reichten schon zwei Generationen zurück; wir hatten sie nur zu erhalten, und es war eine stille, eine, möchte ich sagen, lautlose Tätigkeit, die uns durch dies ererbte Vertrauen zugeteilt war, eigentlich nicht viel mehr erfordernd als strengste Diskretion und Verlässlichkeit, zwei Eigenschaften, die mein verstorbener Vater im höchsten Maße besaß; ihm ist es tatsächlich gelungen, sowohl in den Inflationsjahren als in jenen des Umsturzes durch seine Umsicht seinen Klienten beträchtliche Vermögenswerte zu erhalten. Als dann Hitler in Deutschland ans Ruder kam und gegen den Besitz der Kirche und der Klöster seine Raubzüge begann, gingen auch von jenseits der Grenze mancherlei Verhandlungen und Transaktionen, um wenigstens den mobilen Besitz vor Beschlagnahme zu retten, durch unsere Hände, und von gewissen geheimen politischen Verhandlungen der Kurie und des Kaiserhauses wussten wir beide mehr, als die Öffentlichkeit je erfahren wird. Aber gerade die Unauffälligkeit unserer Kanzlei – wir führten nicht einmal ein Schild an der Tür – sowie die Vorsicht, dass wir beide alle Monarchistenkreise in Wien ostentativ mieden, bot sichersten Schutz vor unberufenen Nachforschungen. De facto hat in all diesen Jahren keine Behörde in Österreich jemals vermutet, dass die geheimen Kuriere des Kaiserhauses ihre wichtigste Post immer gerade in unserer unscheinbaren Kanzlei im vierten Stock abholten oder abgaben.

Nun hatten die Nationalsozialisten, längst ehe sie ihre

Armeen gegen die Welt aufrüsteten, eine andere ebenso gefährliche und geschulte Armee in allen Nachbarländern zu organisieren begonnen, die Legion der Benachteiligten, der Zurückgesetzten, der Gekränkten. In jedem Amt, in jedem Betrieb waren ihre sogenannten ›Zellen‹ eingenistet, an jeder Stelle bis hinauf in die Privatzimmer von Dollfuß und Schuschnigg saßen ihre Horchposten und Spione. Selbst in unserer unscheinbaren Kanzlei hatten sie, wie ich leider erst zu spät erfuhr, ihren Mann. Es war freilich nicht mehr als ein jämmerlicher und talentloser Kanzlist, den ich auf Empfehlung eines Pfarrers einzig deshalb angestellt hatte, um der Kanzlei nach außen hin den Anschein eines regulären Betriebs zu geben; in Wirklichkeit verwerteten wir ihn zu nichts anderem als zu unschuldigen Botengängen, ließen ihn das Telephon bedienen und die Akten ordnen, das heißt jene Akten, die völlig gleichgültig und unbedenklich waren. Die Post durfte er niemals öffnen, alle wichtigen Briefe schrieb ich, ohne Kopien zu hinterlegen, eigenhändig mit der Maschine, jedes wesentliche Dokument nahm ich selbst nach Hause und verlegte geheime Besprechungen ausschließlich in die Priorei des Klosters oder in das Ordinationszimmer meines Onkels. Dank dieser Vorsichtsmaßnahmen bekam dieser Horchposten von den eigentlichen Vorgängen nichts zu sehen; aber durch einen unglücklichen Zufall musste der ehrgeizige und eitle Bursche bemerkt haben, dass man ihm misstraute und hinter seinem Rücken allerhand Interessantes geschah. Vielleicht hat einmal in meiner Abwesenheit einer der Kuriere unvorsichtigerweise von ›Seiner Majestät‹ gesprochen statt wie vereinbart vom ›Baron Fern‹, oder der Lump musste Briefe widerrechtlich geöffnet haben – jedenfalls holte er sich, ehe ich Verdacht schöpfen konnte, von München oder Berlin Auftrag, uns zu überwachen. Erst viel später, als ich längst in Haft saß, erinnerte ich mich, dass seine anfängliche Lässigkeit im Dienst sich in den letzten Monaten in plötzlichen Eifer verwandelt hatte und er sich mehrfach beinahe zudringlich angeboten, meine Korrespondenz zur Post zu bringen. Ich kann mich einer gewissen Unvorsichtigkeit also nicht freisprechen, aber sind schließlich nicht auch die größten Diplomaten und Militärs der Welt von der Hitlerei heimtückisch überspielt worden? Wie genau und liebevoll die Gestapo mir längst ihre Aufmerksamkeit zugewandt hatte, erwies dann äußerst handgreiflich der Umstand, dass noch am selben Abend, da Schuschnigg seine Abdankung gab und einen Tag, ehe Hitler in Wien einzog, ich bereits von SS-Leuten festgenommen war. Die allerwichtigsten Papiere war es mir glücklicherweise noch gelungen zu verbrennen, kaum ich im Radio die Abschiedsrede Schuschniggs gehört, und den Rest der Dokumente mit den unentbehrlichen Belegen für die im Ausland deponierten Vermögenswerte der Klöster und zweier Erzherzöge schickte ich – wirklich in letzter Minute, ehe die Burschen mir die Tür einhämmerten – in einem Waschkorb versteckt durch meine alte verlässliche Haushälterin zu meinem Onkel hinüber.«

Dr. B. unterbrach, um sich eine Zigarre anzuzünden. Bei dem aufflackernden Licht bemerkte ich, dass ein nervöses Zucken um seinen rechten Mundwinkel lief, das mir schon vorher aufgefallen war und, wie ich beobachten konnte, sich jede paar Minuten wiederholte. Es war nur eine flüchtige Bewegung, kaum stärker als ein Hauch, aber sie gab dem ganzen Gesicht eine merkwürdige Unruhe.

»Sie vermuten nun wahrscheinlich, dass ich Ihnen jetzt vom Konzentrationslager erzählen werde, in das doch alle jene überführt wurden, die unserem alten Österreich die Treue gehalten, von den Erniedrigungen, Martern, Torturen, die ich dort erlitten. Aber nichts dergleichen geschah. Ich kam in eine andere Kategorie. Ich wurde nicht zu jenen Unglücklichen getrieben, an denen man mit körperlichen und seelischen Erniedrigungen ein lang aufgespartes Ressentiment austobte, sondern jener anderen, ganz kleinen Gruppe zugeteilt, aus der die Nationalsozialisten entweder Geld oder wichtige Informationen herauszupressen hofften. An sich war meine bescheidene Person natürlich der Gestapo völlig uninteressant. Sie mussten aber erfahren haben, dass wir die Strohmänner, die Verwalter und Vertrauten ihrer erbittertsten Gegner gewesen, und was sie von mir zu erpressen hofften, war belastendes Material: Material gegen die Klöster, denen sie Vermögensverschiebungen nachweisen wollten, Material gegen die kaiserliche Familie und all jene, die in Österreich sich aufopfernd für die Monarchie eingesetzt. Sie vermuteten – und wahrhaftig nicht zu Unrecht – dass von jenen Fonds, die durch unsere Hände gegangen waren, wesentliche Bestände sich noch ihrer Raublust unzugänglich versteckten; so holten sie mich darum gleich am ersten Tag heran, um mit ihren bewährten Methoden mir diese Geheimnisse abzuzwingen. Leute meiner Kategorie, aus denen wichtiges Material oder Geld herausgepresst werden sollte, wurden deshalb nicht in Konzentrationslager abgeschoben sondern für eine besondere Behandlung aufgespart. Sie erinnern sich vielleicht, dass unser Kanzler und anderseits der Baron Rothschild, dessen Verwandten sie Millionen abzunötigen hofften, keineswegs hinter Stacheldraht in ein Gefangenenlager gesetzt wurden sondern unter scheinbarer Bevorzugung in ein Hotel, das Hotel Metropole, das zugleich Hauptquartier der Gestapo war, überführt, wo sie jeder ein abgesondertes Zimmer erhielten. Auch mir unscheinbarem Mann wurde diese Auszeichnung erwiesen.

Ein eigenes Zimmer in einem Hotel – nicht wahr, das klingt an sich äußerst human? Aber Sie dürfen mir glauben, dass man uns keineswegs eine humanere sondern nur eine raffiniertere Methode zudachte, wenn man uns ›Prominente‹ nicht zu zwanzig in eine eiskalte Baracke stopfte sondern in einem leidlich geheizten und separaten Hotelzimmer behauste. Denn die Pression, mit der man uns das benötigte ›Material‹ abzwingen wollte, sollte auf subtilere Weise funktionieren als durch rohe Prügel oder körperliche Folter: durch die denkbar raffinierteste Isolierung. Man tat uns nichts – man stellte uns nur in das vollkommene Nichts, denn bekanntlich erzeugt kein Ding auf Erden einen solchen Druck auf die menschliche Seele als das Nichts. Indem man uns jeden einzeln in ein völliges Vakuum sperrte, in ein Zimmer, das hermetisch von der Außenwelt abgeschlossen war, sollte statt von außen durch Prügel und Kälte jener Druck von innen erzeugt werden, der uns schließlich die Lippen aufsprengte. Auf den ersten Blick sah das mir zugewiesene Zimmer durchaus nicht unbehaglich aus. Es hatte eine Tür, einen Tisch, ein Bett, einen Sessel, eine Waschschüssel, ein vergittertes Fenster. Aber die Tür blieb Tag und Nacht verschlossen, auf dem Tisch durfte kein Buch, keine Zeitung, kein Blatt Papier, kein Bleistift liegen, das Fenster starrte eine Feuermauer an; rings um mein Ich und selbst an meinem eigenen Körper war das vollkommene Nichts konstruiert. Man hatte mir jeden Gegenstand abgenommen, die Uhr, damit ich nicht wisse um die Zeit, den Bleistift, dass ich nicht etwa schreiben könne, das Messer, damit ich mir nicht die Adern öffnen könne; selbst die kleinste Betäubung wie eine Zigarette wurde mir versagt. Nie sah ich außer dem Wärter, der kein Wort sprechen und auf keine Frage antworten durfte, ein menschliches Gesicht, nie hörte ich eine menschliche Stimme; Auge, Ohr, alle Sinne bekamen von morgens bis nachts und von nachts bis morgens nicht die geringste Nahrung, man blieb mit sich, mit seinem Körper und den vier oder fünf stummen Gegenständen Tisch, Bett, Fenster, Waschschüssel rettungslos allein; man lebte wie ein Taucher unter der Glasglocke im schwarzen Ozean dieses Schweigens und wie ein Taucher sogar, der schon ahnt, dass das Seil nach der Außenwelt abgerissen ist und er nie zurückgeholt werden wird aus der lautlosen Tiefe. Es gab nichts zu tun, nichts zu hören, nichts zu sehen, überall und ununterbrochen war um einen das Nichts, die völlige raumlose und zeitlose Leere. Man ging auf und ab und mit einem gingen die Gedanken auf und ab, auf und ab, immer wieder. Aber selbst Gedanken, so substanzlos sie scheinen, brauchen einen Stützpunkt, sonst beginnen sie zu rotieren und sinnlos um sich selbst zu kreisen; auch sie ertragen nicht das Nichts. Man wartete auf etwas, von morgens bis abends, und es geschah nichts. Man wartete wieder und wieder. Es geschah nichts. Man wartete, wartete, wartete, man dachte, man dachte, man dachte, bis einem die Schläfen schmerzten. Nichts geschah. Man blieb allein. Allein. Allein.

Das dauerte vierzehn Tage, die ich außerhalb der Zeit, außerhalb der Welt lebte. Wäre damals ein Krieg ausgebrochen, ich hätte es nicht erfahren; meine Welt bestand doch nur aus Tisch, Tür, Bett, Waschschüssel, Sessel, Fenster und Wand, und immer starrte ich auf dieselbe Tapete an derselben Wand; jede Linie ihres gezackten Musters hat sich wie mit ehernem Stichel eingegraben bis in die innerste Falte meines Gehirns, so oft habe ich sie angestarrt. Dann endlich begannen die Verhöre. Man wurde plötzlich abgerufen, ohne recht zu wissen, ob es Tag war oder Nacht. Man wurde gerufen und durch ein paar Gänge geführt, man wusste nicht wohin; dann wartete man irgendwo und wusste nicht wo, und stand plötzlich vor einem Tisch, um den ein paar uniformierte Leute saßen. Auf dem Tisch lag ein Stoß Papier: die Akten, von denen man nicht wusste, was sie enthielten, und dann begannen die Fragen, die echten und die falschen, die klaren und die tückischen, die Deckfragen und Fangfragen, und während man antwortete, blätterten fremde böse Finger in den Papieren, von denen man nicht wusste, was sie enthielten, und fremde böse Finger schrieben etwas in ein Protokoll und man wusste nicht, was sie schrieben. Aber das Fürchterlichste bei diesen Verhören für mich war, dass ich nie erraten und errechnen konnte, was die Gestapoleute von den Vorgängen in meiner Kanzlei tatsächlich wussten und was sie erst von mir herausholen wollten. Wie ich Ihnen bereits sagte, hatte ich die eigentlich belastenden Papiere meinem Onkel in letzter Stunde durch die Haushälterin geschickt. Aber hatte er sie erhalten? Hatte er sie nicht erhalten? Und wieviel hatte jener Kanzlist verraten? Wieviel hatten sie an Briefen aufgefangen, wieviel inzwischen in den deutschen Klöstern, die wir vertraten, einem ungeschickten Geistlichen vielleicht schon abgepresst? Und sie fragten und fragten.

Welche Papiere ich für jenes Kloster gekauft, mit welchen Banken ich korrespondiert, ob ich einen Herrn Soundso kenne oder nicht, ob ich Briefe aus der Schweiz erhalten und aus Steenookerzeel? Und da ich nie errechnen konnte, wieviel sie schon ausgekundschaftet hatten, wurde jede Antwort zur ungeheuersten Verantwortung. Gab ich etwas zu, was ihnen nicht bekannt war, so lieferte ich vielleicht unnötig jemanden ans Messer. Leugnete ich zu viel ab, so schädigte ich mich selbst.

Aber das Verhör war noch nicht das Schlimmste. Das Schlimmste war das Zurückkommen nach dem Verhör in mein Nichts, in dasselbe Zimmer mit demselben Tisch, demselben Bett, derselben Waschschüssel, derselben Tapete. Denn kaum allein mit mir, versuchte ich zu rekonstruieren, was ich am klügsten hätte antworten sollen und was ich das nächste Mal sagen müsste, um den Verdacht wieder abzulenken, den ich vielleicht mit einer unbedachten Bemerkung heraufbeschworen. Ich überlegte, ich durchdachte, ich durchforschte, ich überprüfte meine eigene Aussage auf jedes Wort, das ich dem Untersuchungsrichter gesagt, ich rekapitulierte jede Frage, die sie gestellt, jede Antwort, die ich gegeben, ich versuchte zu erwägen, was sie davon protokolliert haben könnten und wusste doch, dass ich das nie errechnen und erfahren könnte. Aber diese Gedanken, einmal angekurbelt im leeren Raum, hörten nicht auf, im Kopf zu rotieren, immer wieder von neuem, in immer anderen Kombinationen, und das ging hinein bis in den Schlaf; jedesmal nach einer Vernehmung durch die Gestapo übernahmen ebenso unerbittlich meine eigenen Gedanken die Marter des Fragens und Forschens und Quälens, und vielleicht noch grausamer sogar, denn jene Vernehmungen endeten doch immerhin nach einer Stunde und diese nie dank der tückischen Tortur dieser Einsamkeit. Und immer um mich nur der Tisch, der Schrank, das Bett, die Tapete, das Fenster, keine Ablenkung, kein Buch, keine Zeitung, kein fremdes Gesicht, kein Bleistift, um etwas zu notieren, kein Zündholz, um damit zu spielen, nichts, nichts, nichts. Jetzt erst gewahrte ich, wie teuflisch sinnvoll, wie psychologisch mörderisch erdacht dieses System des Hotelzimmers war. Im Konzentrationslager hätte man vielleicht Steine karren müssen, bis einem die Hände bluteten und die Füße in den Schuhen abfroren, man wäre zusammengepackt gelegen mit zwei Dutzend Menschen in Stank und Kälte. Aber man hätte Gesichter gesehen, man hätte ein Feld, einen Karren, einen Baum, einen Stern, irgend, irgend etwas anstarren können, indes hier immer dasselbe um einen stand, immer dasselbe, das entsetzliche Dasselbe. Hier war nichts, was mich ablenken konnte von meinen Gedanken, von meinen Wahnvorstellungen, von meinem krankhaften Rekapitulieren. Und gerade das beabsichtigten sie – ich sollte doch würgen und würgen an meinen Gedanken, bis sie mich erstickten und ich nicht anders konnte als sie schließlich ausspeien, als auszusagen, alles auszusagen, was sie wollten, endlich das Material und die Menschen auszuliefern. Allmählich spürte ich, wie meine Nerven unter diesem grässlichen Druck des Nichts sich zu lockern begannen, und ich spannte, der Gefahr bewusst, bis zum Zerreißen meine Nerven, irgendeine Ablenkung zu finden oder zu erfinden. Um mich zu beschäftigen, versuchte ich alles, was ich jemals auswendig gelernt, zu rezitieren und zu rekonstruieren, die Volkshymne und die Spielreime der Kinderzeit, den Homer des Gymnasiums, die Paragraphen des Bürgerlichen Gesetzbuchs. Dann versuchte ich zu rechnen, beliebige Zahlen zu addieren, zu dividieren, aber mein Gedächtnis hatte im Leeren keine festhaltende Kraft. Ich konnte mich auf nichts konzentrieren. Immer fuhr und flackerte derselbe Gedanke dazwischen: Was wissen sie? Was wissen sie nicht? Was habe ich gestern gesagt, was muss ich das nächste Mal sagen?

Dieser eigentlich unbeschreibbare Zustand dauerte vier Monate. Nun – vier Monate, das schreibt sich leicht hin: just ein Dutzend Buchstaben! Das spricht sich leicht aus: vier Monate – vier Silben. In einer Viertelsekunde hat die Lippe rasch so einen Laut artikuliert: vier Monate! Aber niemand kann schildern, kann messen, kann veranschaulichen, nicht einem andern, nicht sich selbst, wie lange eine Zeit im Raumlosen, im Zeitlosen währt, und keinem kann man erklären, wie es einen zerfrisst und zerstört, dieses Nichts und Nichts und Nichts um einen, dies immer nur Tisch und Bett und Waschschüssel und Tapete, und immer das Schweigen, immer derselbe Wärter, der, ohne einen anzusehen, das Essen hereinschiebt, immer dieselben Gedanken, die im Nichts um das eine kreisen, bis man irre wird. An kleinen Zeichen wurde ich beunruhigt gewahr, dass mein Gehirn in Unordnung geriet. Im Anfang war ich bei den Vernehmungen noch innerlich klar gewesen, ich hatte ruhig und überlegt ausgesagt; jenes Doppeldenken, was ich sagen sollte und was nicht, hatte noch funktioniert. Jetzt konnte ich schon die einfachsten Sätze nur mehr stammelnd artikulieren, denn während ich aussagte, starrte ich hypnotisiert auf die Feder, die protokollierend über das Papier lief, als wollte ich meinen eigenen Worten nachlaufen. Ich spürte, meine Kraft ließ nach, ich spürte, immer näher rückte der Augenblick, wo ich, um mich zu retten, alles sagen würde, was ich wusste und vielleicht noch mehr, wo ich, um dem Würgen dieses Nichts zu entkommen, zwölf Menschen und ihre Geheimnisse verraten würde, ohne mir selbst damit mehr zu schaffen als einen Atemzug Rast. An einem Abend war es wirklich schon so weit: als der Wärter zufällig in diesem Augenblick des Erstickens mir das Essen brachte, schrie ich ihm plötzlich nach: ›Führen Sie mich zur Vernehmung! Ich will alles sagen! Ich will alles aussagen! Ich will sagen, wo die Papiere sind, wo das Geld liegt! Alles werde ich sagen, alles!‹ Glücklicherweise hörte er mich nicht mehr. Vielleicht wollte er mich auch nicht hören.

In dieser äußersten Not ereignete sich nun etwas Unvorhergesehenes, was Rettung bot, Rettung zum mindesten für eine gewisse Zeit. Es war Ende Juli, ein dunkler, verhangener, regnerischer Tag: ich erinnere mich an diese Einzelheit deshalb ganz genau, weil der Regen gegen die Scheiben im Gang trommelte, durch den ich zur Vernehmung geführt wurde. Im Vorzimmer des Untersuchungszimmers musste ich warten. Immer musste man bei jeder Vorführung warten: auch dies Wartenlassen gehörte zur Technik. Erst riss man einem die Nerven auf durch den Anruf, durch das plötzliche Abholen aus der Zelle mitten in der Nacht, und dann, wenn man schon eingestellt war auf die Vernehmung, schon Verstand und Willen gespannt hatte zum Widerstand, ließen sie einen warten, sinnlos-sinnvoll warten, eine Stunde, zwei Stunden, drei Stunden vor der Vernehmung, um den Körper müde, um die Seele mürbe zu machen. Und man ließ mich besonders lange warten an diesem Donnerstag, den 27. Juli, zwei geschlagene Stunden im Vorzimmer stehend warten; ich erinnere mich auch an dieses Datum aus einem bestimmten Grunde so genau, denn in diesem Vorzimmer, wo ich – selbstverständlich ohne mich niedersetzen zu dürfen, – zwei Stunden mir die Beine in den Leib stehen musste, hing ein Kalender, und ich vermag Ihnen nicht zu erklären, wie in meinem Hunger nach Gedrucktem, nach Geschriebenem, ich diese eine Zahl, diese wenigen Worte ›27. Juli‹ an der Wand anstarrte und anstarrte; ich fraß sie gleichsam in mein Gehirn hinein. Und dann wartete ich wieder und wartete und starrte auf die Tür, wann sie sich endlich öffnen würde, und überlegte zugleich, was die Inquisitoren mich diesmal fragen könnten und wusste doch, dass sie mich etwas ganz anderes fragen würden als worauf ich mich vorbereitete. Aber trotz alledem war die Qual dieses Wartens und Stehens zugleich eine Wohltat, eine Lust, weil dieser Raum immerhin ein anderes Zimmer war als das meine, etwas größer und mit zwei Fenstern statt einem und ohne das Bett und ohne die Waschschüssel und ohne den bestimmten Riss am Fensterbrett, den ich millionenmal betrachtet. Die Tür war anders angestrichen, ein anderer Sessel stand an der Wand und links ein Registerschrank mit Akten sowie eine Garderobe mit Aufhängern, an denen drei oder vier nasse militärische Mäntel, die Mäntel meiner Folterknechte hingen. Ich hatte also etwas Neues, etwas anderes zu betrachten, endlich einmal etwas anderes mit meinen ausgehungerten Augen, und sie krallten sich gierig an jede Einzelheit. Ich beobachtete an diesen Mänteln jede Falte, ich bemerkte zum Beispiel einen Tropfen, der von einem der nassen Kragen niederhing, und so lächerlich es für Sie klingen mag, ich wartete mit einer unsinnigen Erregung, ob dieser Tropfen endlich abrinnen wollte die Falte entlang oder ob er noch gegen die Schwerkraft sich wehren und länger haften bleiben würde – ja, ich starrte und starrte minutenlang atemlos auf diesen Tropfen, als hinge mein Leben daran. Dann, als er endlich niedergerollt war, zählte ich wieder die Knöpfe auf den Mänteln nach, acht an dem einen Rock, acht an dem andern, zehn an dem dritten, dann wieder verglich ich die Aufschläge; all diese lächerlichen, unwichtigen Kleinigkeiten betasteten, umspielten, umgriffen meine verhungerten Augen mit einer Gier, die ich nicht zu beschreiben vermag. Und plötzlich blieb mein Blick starr an etwas haften. Ich hatte entdeckt, dass an einem der Mäntel die Seitentasche etwas aufgebauscht war. Ich trat näher heran und glaubte an der rechteckigen Form der Ausbuchtung zu erkennen, was diese etwas geschwellte Tasche in sich barg: ein Buch! Mir begannen die Knie zu zittern: ein BUCH! Vier Monate lang hatte ich kein Buch in der Hand gehabt, und schon die bloße Vorstellung eines Buches, in dem man aneinandergereihte Worte sehen konnte, Zeilen, Seiten und Blätter, eines Buches, aus dem man andere, neue, fremde, ablenkende Gedanken lesen, verfolgen, sich ins Hirn nehmen könnte, hatte etwas Berauschendes und gleichzeitig Betäubendes. Hypnotisiert starrten meine Augen auf die kleine Wölbung, die jenes Buch innerhalb der Tasche formte, sie glühten diese eine unscheinbare Stelle an, als ob sie ein Loch in den Mantel brennen wollten. Schließlich konnte ich meine Gier nicht verhalten; unwillkürlich schob ich mich näher heran. Schon der Gedanke, ein Buch durch den Stoff mit den Händen wenigstens antasten zu können, machte mir die Nerven in den Fingern bis zu den Nägeln glühen. Fast ohne es zu wissen, drückte ich mich immer näher heran. Glücklicherweise achtete der Wärter nicht auf mein gewiss sonderbares Gehaben; vielleicht auch schien es ihm nur natürlich, dass ein Mensch nach zwei Stunden aufrechten Stehens sich ein wenig an die Wand lehnen wollte. Schließlich stand ich schon ganz nahe bei dem Mantel, und mit Absicht hatte ich die Hände hinter mich auf den Rücken gelegt, damit sie unauffällig den Mantel berühren könnten. Ich tastete den Stoff an und fühlte tatsächlich durch den Stoff etwas Rechteckiges, etwas das biegsam war und leise knisterte – ein Buch! Ein Buch! Und wie ein Schuss durchzuckte mich der Gedanke: stiehl dir das Buch! Vielleicht gelingt es und du kannst dir's in der Zelle verstecken und dann lesen, lesen, lesen, endlich wieder einmal lesen! Der Gedanke, kaum in mich gedrungen, wirkte wie ein starkes Gift; mit einemmal begannen mir die Ohren zu brausen und das Herz zu hämmern, meine Hände wurden eiskalt und gehorchten nicht mehr. Aber nach der ersten Betäubung drängte ich mich leise und listig noch näher an den Mantel, ich drückte, immer dabei den Wächter fixierend, mit den hinter dem Rücken versteckten Händen das Buch von unten aus der Tasche höher und höher. Und dann: ein Griff, ein leichter, vorsichtiger Zug und plötzlich hatte ich das kleine, nicht sehr umfangreiche Buch in der Hand. Jetzt erst erschrak ich vor meiner Tat. Aber ich konnte nicht mehr zurück. Jedoch wohin damit? Ich schob den Band hinter meinem Rücken unter die Hose an die Stelle, wo sie der Gürtel hielt, und von dort allmählich hinüber an die Hüfte, damit ich es beim Gehen mit der Hand militärisch an der Hosennaht festhalten könnte. Nun galt es die erste Probe. Ich trat von der Garderobe weg, einen Schritt, zwei Schritte, drei Schritte. Es ging. Es war möglich, das Buch im Gehen festzuhalten, wenn ich nur die Hand fest an den Gürtel presste.

Dann kam die Vernehmung. Sie erforderte meinerseits mehr Anstrengung als je, denn eigentlich konzentrierte ich meine ganze Kraft, während ich antwortete, nicht auf meine Aussage, sondern vor allem darauf, das Buch unauffällig festzuhalten. Glücklicherweise fiel das Verhör diesmal kurz aus und ich brachte das Buch heil in mein Zimmer – ich will Sie nicht aufhalten mit all den Einzelheiten, denn einmal rutschte es von der Hose gefährlich ab mitten im Gang und ich musste einen schweren Hustenanfall simulieren, um mich niederzubücken und es wieder heil unter den Gürtel zurückzuschieben. Aber welch eine Sekunde dafür, als ich damit in meine Hölle zurücktrat, endlich allein und doch nicht mehr allein!

Nun vermuten Sie wahrscheinlich, ich hätte sofort das Buch gepackt, betrachtet, gelesen. Keineswegs! Erst wollte ich die Vorlust auskosten, dass ich ein Buch mit mir hatte, die künstlich verzögernde und meine Nerven wunderbar erregende Lust, mir auszuträumen, welche Art Buch dies gestohlene am liebsten sein sollte: sehr eng gedruckt vor allem, viele, viele Lettern enthaltend, viele, viele dünne Blätter, damit ich länger daran zu lesen hätte. Und dann wünschte ich mir, es sollte ein Werk sein, das mich geistig anstrengte, nichts Flaches, nichts Leichtes sondern etwas, das man lernen, auswendig lernen konnte, Gedichte, und am besten – welcher verwegene Traum! – Goethe oder Homer. Aber schließlich konnte ich meine Gier, meine Neugier nicht länger verhalten. Hingestreckt auf das Bett, so dass der Wärter, wenn er plötzlich die Tür aufmachen sollte, mich nicht ertappen könnte, zog ich zitternd unter dem Gürtel den Band heraus.

Der erste Blick war eine Enttäuschung und sogar eine Art erbitterter Ärger: dieses mit so ungeheurer Gefahr erbeutete, mit so glühender Erwartung aufgesparte Buch war nichts anderes als ein Schachrepetitorium, eine Sammlung von hundertfünfzig Meisterpartien. Wäre ich nicht verriegelt, verschlossen gewesen, ich hätte im ersten Zorn das Buch durch ein offenes Fenster geschleudert, denn was sollte, was konnte ich mit diesem Nonsens beginnen? Ich hatte als Knabe im Gymnasium wie die meisten anderen mich ab und zu aus Langeweile vor einem Schachbrett versucht. Aber was sollte mir dies theoretische Zeug? Schach kann man doch nicht spielen ohne einen Partner und schon gar nicht ohne Steine, ohne Brett. Verdrossen blätterte ich die Seiten durch, um vielleicht dennoch etwas Lesbares zu entdecken, eine Einleitung, eine Anleitung; aber ich fand nichts als die nackten quadratischen Schemata der einzelnen Meisterpartien und darunter mir zunächst unverständliche Zeichen, a1–a2, Sf1–Sg3 und so weiter. Alles das schien mir eine Art Algebra, zu der ich keinen Schlüssel fand. Erst allmählich enträtselte ich, dass die Buchstaben a, b, c, für die Längsreihen, die Zahlen 1 bis 8 für die Querreihen eingesetzt waren und den jeweiligen Stand jeder einzelnen Figur bestimmten; damit bekamen die rein graphischen Schemata immerhin eine Sprache. Vielleicht, überlegte ich, könnte ich mir in meiner Zelle eine Art Schachbrett konstruieren und dann versuchen, diese Partien nachzuspielen; wie ein himmlischer Wink erschien es mir, dass mein Betttuch sich zufällig als grob kariert erwies. Richtig zusammengefaltet, ließ es sich am

Ende so legen, um vierundsechzig Felder zusammenzubekommen. Ich versteckte also zunächst das Buch unter der Matratze und riss nur die erste Seite heraus. Dann begann ich aus kleinen Krümeln, die ich mir von meinem Brot absparte, in selbstverständlich lächerlich unvollkommener Weise die Figuren des Schachs, König, Königin und so weiter zurechtzumodeln; nach endlosem Bemühen konnte ich es schließlich unternehmen, auf dem karierten Betttuch die im Schachbuch abgebildete Position zu rekonstruieren. Als ich aber versuchte, die ganze Partie nachzuspielen, misslang es zunächst vollkommen mit meinen lächerlichen Krümelfiguren, von denen ich zur Unterscheidung die eine Hälfte mit Staub dunkler gefärbt hatte. Ich verwirrte mich in den ersten Tagen unablässig; fünfmal, zehnmal, zwanzigmal musste ich diese eine Partie immer wieder von Anfang an beginnen. Aber wer auf Erden verfügte über so viel ungenützte und nutzlose Zeit wie ich, der Sklave des Nichts, wem stand so viel unermessliche Gier und Geduld zu Gebot? Nach sechs Tagen spielte ich schon die Partie tadellos zu Ende, nach weiteren acht Tagen benötigte ich nicht einmal die Krümel auf dem Betttuch mehr, um mir die Position aus dem Schachbuch zu vergegenständlichen, und nach weiteren acht Tagen wurde auch das karierte Betttuch entbehrlich; automatisch verwandelten sich die anfangs abstrakten Zeichen des Buches, a1, a2, c7, c8 hinter meiner Stirn zu visuellen, zu plastischen Positionen. Die Umstellung war restlos gelungen: ich hatte das Schachbrett mit seinen Figuren nach innen projiziert und überblickte auch dank der bloßen Formeln die jeweilige Position, so wie einem geübten Musiker der bloße Anblick einer Partitur schon genügt, um alle Stimmen und ihren Zusammenklang zu hören. Nach weiteren vierzehn Tagen war ich mühelos imstande, jede Partie aus dem Buch auswendig – oder wie der Fachausdruck lautet: blind – nachzuspielen; jetzt erst begann ich zu verstehen, welche unermessliche Wohltat mein frecher Diebstahl mir erobert. Denn ich hatte mit einemmale eine Tätigkeit – eine sinnlose, eine zwecklose, wenn Sie wollen, aber doch eine, die das Nichts um mich zunichte machte, ich besaß mit den hundertfünfzig Turnierpartien eine wunderbare Waffe gegen die erdrückende Monotonie des Raumes und der Zeit. Um mir den Reiz der neuen Beschäftigung ungebrochen zu bewahren, teilte ich mir von nun ab jeden Tag genau ein: zwei Partien morgens, zwei Partien nachmittags, abends dann noch eine rasche Wiederholung. Damit war mein Tag, der sich sonst wie Gallert formlos dehnte, ausgefüllt, ich war beschäftigt, ohne mich zu ermüden, denn das Schachspiel besitzt den wunderbaren Vorzug, durch Bannung der geistigen Energien auf ein eng begrenztes Feld selbst bei angestrengtester Denkleistung das Gehirn nicht zu erschlaffen, sondern eher seine Agilität und Spannkraft zu schärfen. Allmählich begann bei dem zuerst bloß mechanischen Nachspielen der Meisterpartien ein künstlerisches, ein lusthaftes Verständnis in mir zu erwachen. Ich lernte die Feinheiten, die Tücken und Schärfen in Angriff und Verteidigung verstehen, ich erfasste die Technik des Vorausdenkens, Kombinierens, Ripostierens und erkannte bald die persönliche Note jedes einzelnen Schachmeisters in seiner individuellen Führung so unfehlbar wie man Verse eines Dichters schon aus wenigen Zeilen feststellt; was als bloß zeitfüllende Beschäftigung begonnen, wurde Genuss, und die Gestalten der großen Schachstrategen wie

Aljechin, Lasker, Bogoljubow, Tartakower traten als geliebte Kameraden in meine Einsamkeit. Unendliche Abwechslung beseelte täglich die stumme Zelle, und gerade die Regelmäßigkeit meiner Exerzitien gab meiner Denkfähigkeit die schon erschütterte Sicherheit zurück; ich empfand mein Gehirn aufgefrischt und durch die ständige Denkdisziplin sogar noch gleichsam neu geschliffen. Dass ich klarer und konziser dachte, erwies sich vor allem bei den Vernehmungen; unbewusst hatte ich mich auf dem Schachbrett in der Verteidigung gegen falsche Drohungen und verdeckte Winkelzüge vervollkommnet; von diesem Zeitpunkt an gab ich mir bei den Vernehmungen keine Blöße mehr, und mir dünkte sogar, dass die Gestapoleute mich allmählich mit einem gewissen Respekt zu betrachten begannen. Vielleicht fragten sie sich im stillen, da sie alle anderen zusammenbrechen sahen, aus welchen geheimen Quellen ich allein die Kraft solch unerschütterlichen Widerstands schöpfte.

Diese meine Glückszeit, da ich die hundertfünfzig Partien jenes Buches Tag für Tag systematisch nachspielte, dauerte etwa zweieinhalb bis drei Monate. Dann geriet ich unvermuteterweise an einen toten Punkt. Plötzlich stand ich neuerdings vor dem Nichts. Denn sobald ich jede einzelne dieser Partien zwanzig- oder dreißigmal durchgespielt hatte, verlor sie den Reiz der Neuheit, der Überraschung, ihre vordem so aufregende, so anregende Kraft war erschöpft. Welchen Sinn hatte es, nochmals und nochmals Partien zu wiederholen, die ich Zug um Zug längst auswendig kannte? Kaum ich die erste Eröffnung getan, klöppelte sich ihr Ablauf gleichsam automatisch in mir ab, es gab keine Überraschung mehr, keine Spannungen, keine Probleme. Um mich zu beschäftigen, um mir die schon unentbehrlich gewordene Anstrengung und Ablenkung zu schaffen, hätte ich eigentlich ein anderes Buch mit anderen Partien gebraucht. Da dies aber vollkommen unmöglich war, gab es nur einen Weg auf dieser sonderbaren Irrbahn: ich musste mir statt der alten Partien neue erfinden. Ich musste versuchen, mit mir selbst oder vielmehr gegen mich selbst zu spielen.

Ich weiß nun nicht, bis zu welchem Grade Sie über die geistige Situation bei diesem Spiel der Spiele nachgedacht haben. Aber schon die flüchtigste Überlegung dürfte ausreichen, um klarzumachen, dass beim Schach als einem reinen, vom Zufall abgelösten Denkspiel es logischerweise eine Absurdität bedeutet, gegen sich selbst spielen zu wollen. Das Attraktive des Schachs beruht doch im Grunde einzig darauf, dass sich seine Strategie in zwei verschiedenen Gehirnen verschieden entwickelt, dass in diesem geistigen Krieg Schwarz die jeweiligen Manöver von Weiß nicht kennt und ständig zu erraten und zu durchkreuzen sucht, während seinerseits wiederum Weiß die geheimen Absichten von Schwarz zu überholen und zu parieren strebt. Bildeten nun Schwarz und Weiß ein- und dieselbe Person, so ergäbe sich der widersinnige Zustand, dass ein- und dasselbe Gehirn gleichzeitig etwas wissen und doch nicht wissen sollte, dass es als Partner Weiß funktionierend, auf Kommando völlig vergessen könnte, was es eine Minute vorher als Partner Schwarz gewollt und beabsichtigt. Ein solches Doppeldenken setzt eigentlich eine vollkommene Spaltung des Bewusstseins voraus, ein beliebiges Auf- und Abblendenkönnen der Gehirnfunktion wie bei einem mechanischen Apparat; gegen sich selbst spielen zu wollen, bedeutet also im Schach eine solche Paradoxie wie über seinen eigenen Schatten zu springen.

Nun, um mich kurz zu fassen, diese Unmöglichkeit, diese Absurdität habe ich in meiner Verzweiflung monatelang versucht. Aber ich hatte keine Wahl als diesen Widersinn, um nicht dem puren Irrsinn oder einem völligen geistigen Marasmus zu verfallen. Ich war durch meine fürchterliche Situation gezwungen, diese Spaltung in ein Ich Schwarz und ein Ich Weiß zumindest zu versuchen, um nicht erdrückt zu werden von dem grauenhaften Nichts um mich.«

Dr. B. lehnte sich zurück in dem Liegestuhl und schloss für eine Minute die Augen. Es war, als ob er eine verstörende Erinnerung gewaltsam unterdrücken wollte. Wieder lief das merkwürdige Zucken, das er nicht zu beherrschen wusste, um den linken Mundwinkel. Dann richtete er sich in seinem Lehnstuhl etwas höher auf.

»So – bis zu diesem Punkte hoffe ich Ihnen alles ziemlich verständlich erklärt zu haben. Aber ich bin leider keineswegs gewiss, ob ich das Weitere Ihnen noch ähnlich deutlich veranschaulichen kann. Denn diese neue Beschäftigung erforderte eine so unbedingte Anspannung des Gehirns, dass sie jede gleichzeitige Selbstkontrolle unmöglich machte. Ich deutete Ihnen schon an, dass meiner Meinung nach es an sich schon Nonsens bedeutet, Schach gegen sich selber spielen zu wollen; aber selbst diese Absurdität hätte immerhin noch eine minimale Chance mit einem realen Schachbrett vor sich, weil das Schachbrett durch seine Realität immerhin noch eine gewisse Distanz, eine materielle Exterritorialisierung erlaubt. Vor einem wirklichen Schachbrett mit wirklichen Figuren kann man Überlegungspausen einschalten, man kann sich schon rein körperlich bald auf die eine Seite, bald auf die andere des Tisches stellen und damit die Situation bald vom Standpunkt Schwarz, bald vom Standpunkt Weiß ins Auge fassen. Aber genötigt, wie ich es war, diese Kämpfe gegen mich selbst oder wenn Sie wollen, mit mir selbst in einen imaginären Raum zu projizieren, war ich genötigt, in meinem Bewusstsein die jeweilige Stellung auf den vierundsechzig Feldern deutlich festzuhalten und außerdem nicht nur die momentane Figuration sondern auch schon die möglichen weiteren Züge von beiden Partnern mir auszukalkulieren und zwar – ich weiß, wie absurd dies alles klingt – mir doppelt und dreifach zu imaginieren nein, sechsfach, achtfach, zwölffach, für jedes meiner Ich, für Schwarz und Weiß immer schon vier und fünf Züge voraus. Ich musste – verzeihen Sie, dass ich Ihnen zumute, diesen Irrsinn durchzudenken – bei diesem Spiel im abstrakten Raum der Phantasie als Spieler Weiß vier oder fünf Züge vorausberechnen und ebenso als Spieler Schwarz, also alle sich in der Entwicklung ergebenden Situationen gewissermaßen mit zwei Gehirnen vorauskombinieren, mit dem Gehirn Weiß und dem Gehirn Schwarz. Aber selbst diese Selbstzerteilung war noch nicht das Gefährlichste an meinem abstrusen Experiment sondern dass ich durch das selbständige Ersinnen von Partien mit einemmal den Boden unter den Füßen verlor und ins Bodenlose geriet. Das bloße Nachspielen der Meisterpartien, wie ich es in den vorhergehenden Wochen geübt, war schließlich nichts als eine reproduktive Leistung gewesen, ein reines Rekapitulieren einer gegebenen Materie und als solches nicht anstrengender als wenn ich Gedichte auswendig gelernt hätte oder Gesetzesparagraphen memoriert; es war eine begrenzte, eine disziplinierte Tätigkeit und darum ein ausgezeichnetes exercitium mentalis. Meine zwei Partien, die ich morgens, die zwei, die ich nachmittags probte, stellten ein bestimmtes Pensum dar, das ich ohne jeden Einsatz von Erregung erledigte; sie ersetzten mir eine normale Beschäftigung und überdies hatte ich, wenn ich mich im Ablauf einer Partie irrte oder nicht weiterwusste, an dem Buche noch immer einen Halt. Nur darum war diese Tätigkeit für meine erschütterten Nerven eine so heilsame und eher beruhigende gewesen, weil ein Nachspielen fremder Partien nicht mich selber ins Spiel brachte; ob Schwarz oder Weiß siegte, blieb mir gleichgültig, es waren doch Aljechin oder Bogoljubow, die um die Palme des Champions kämpften, und meine eigene Person, mein Verstand, meine Seele genossen einzig als Zuschauer, als Kenner die Peripetien und Schönheiten jener Partien. Von dem Augenblick an, da ich aber gegen mich zu spielen versuchte, begann ich mich unbewusst herauszufordern. Jedes meiner beiden Ich, mein Ich Schwarz und mein Ich Weiß hatten zu wetteifern gegeneinander und gerieten jedes für sein Teil in einen Ehrgeiz, in eine Ungeduld zu siegen, zu gewinnen; ich fieberte als Ich Schwarz nach jedem Zuge, was das Ich Weiß nun tun würde. Jedes meiner beiden Ich triumphierte, wenn das andere einen Fehler machte und erbitterte sich gleichzeitig über sein eigenes Ungeschick.

Das alles scheint sinnlos und in der Tat wäre ja eine solche künstliche Schizophrenie, eine solche Bewusstseinsspaltung mit ihrem Einschuss an gefährlicher Erregtheit bei einem normalen Menschen in normalem Zustande undenkbar. Aber vergessen Sie nicht, dass ich aus aller Normalität gewaltsam gerissen war, ein Häftling, unschuldig eingesperrt, seit Monaten raffiniert mit Einsamkeit gemartert, ein Mensch, der seine aufgehäufte Wut längst gegen irgend etwas entladen wollte. Und da ich nichts anderes hatte als dies unsinnige Spiel gegen mich selbst, fuhr meine Wut, meine Rachelust fanatisch in dieses Spiel hinein. Etwas in mir wollte recht behalten, und ich hatte doch nur dieses andere Ich in mir, das ich bekämpfen konnte; so steigerte ich mich während des Spiels in eine fast manische Erregung. Im Anfang hatte ich noch ruhig und überlegt gedacht, ich hatte Pausen eingeschaltet zwischen einer und der andern Partie, um mich von der Anstrengung zu erholen; aber allmählich erlaubten meine gereizten Nerven mir kein Warten mehr. Kaum mein Ich Weiß einen Zug getan, stieß schon mein Ich Schwarz fiebrig vor; kaum war eine Partie beendigt, so forderte ich mich schon zur nächsten heraus, denn jedesmal war doch eines meiner beiden Schach-Ich von dem andern besiegt worden und verlangte Revanche. Nie werde ich auch nur annähernd sagen können, wie viele Partien ich infolge dieser irrwitzigen Unersättlichkeit während dieser letzten Monate in meiner Zelle gegen mich selbst gespielt – vielleicht tausend, vielleicht mehr. Es war eine Besessenheit, deren ich mich nicht erwehren konnte; von früh bis nachts dachte ich an nichts als an Läufer und Bauern und Turm und König und a und b und c und Matt und Rochade, mit meinem ganzen Sein und Fühlen stieß ich mich in das karierte Quadrat. Aus der Spielfreude war eine Spiellust geworden, aus der Spiellust ein Spielzwang, eine Manie, eine frenetische Wut, die nicht nur meine wachen Stunden sondern allmählich auch meinen Schlaf durchdrang. Ich konnte nur Schach denken, nur in Schachbewegungen, Schachproblemen; manchmal wachte ich mit feuchter Stirne auf und erkannte, dass ich sogar im Schlaf unbewusst weitergespielt haben musste, und wenn ich von Menschen träumte, so geschah es ausschließlich in den Bewegungen des Läufers, des Turms, im Vor und Zurück des Rösselsprungs. Selbst wenn ich zum Verhör gerufen wurde, konnte ich nicht mehr konzis an meine Verantwortung denken; ich habe die Empfindung, dass bei den letzten Vernehmungen ich mich ziemlich konfus ausgedrückt haben muss, denn die Verhörenden blickten sich manchmal befremdet an. Aber in Wirklichkeit wartete ich, während sie fragten und berieten, in meiner unseligen Gier doch nur darauf, wieder zurückgeführt zu werden in meine Zelle, um mein Spiel, mein irres Spiel fortzusetzen, eine neue Partie und noch eine und noch eine. Jede Unterbrechung wurde mir zur Störung; selbst die Viertelstunde, da der Wärter die Gefängniszelle aufräumte, die zwei Minuten, da er mir das Essen brachte, quälten meine fiebrige Ungeduld; manchmal stand abends der Napf mit der Mahlzeit noch unberührt, ich hatte über dem Spiel vergessen zu essen. Das einzige, was ich körperlich empfand, war ein fürchterlicher Durst; es muss wohl schon das Fieber dieses ständigen Denkens und Spielens gewesen sein; ich trank die Flasche leer in zwei Zügen und quälte den Wärter um mehr und fühlte dennoch im nächsten Augenblick die Zunge schon wieder trocken im Munde. Schließlich steigerte sich meine Erregung während des Spielens – und ich tat nichts anderes mehr von morgens bis nachts – zu solchem Grade, dass ich nicht einen Augenblick mehr stillzusitzen vermochte; ununterbrochen ging ich, während ich die Partien überlegte, auf und ab, immer schneller und schneller und schneller auf und ab, auf und ab, auf und ab, und immer hitziger, je mehr sich die Entscheidung der Partie näherte; die Gier zu gewinnen, zu siegen, mich selbst zu besiegen, wurde allmählich zu einer Art Wut, ich zitterte vor Ungeduld, denn immer war dem einen Schach-Ich in mir das andere zu langsam. Das eine trieb das andere an; so lächerlich es Ihnen vielleicht scheint, ich begann mich zu beschimpfen ›schneller, schneller!‹ oder ›vorwärts, vorwärts!‹, wenn das eine Ich in mir dem andern Ich nicht rasch genug ripostierte. Selbstverständlich bin ich mir heute ganz im klaren, dass dieser mein Zustand schon eine durchaus pathologische Form geistiger Überreizung war, für die ich eben keinen andern Namen finde als den bisher medizinisch ungekannten: eine Schachvergiftung. Schließlich begann diese monomanische Besessenheit nicht nur mein Gehirn sondern auch meinen Körper zu attackieren. Ich magerte ab, ich schlief unruhig und verstört, ich brauchte beim Erwachen jedesmal eine besondere Anstrengung, die bleiernen Augenlider aufzuzwingen; manchmal fühlte ich mich derart schwach, dass wenn ich ein Trinkglas anfasste, ich es nur mit Mühe bis zu den Lippen brachte, so zitterten mir die Hände; aber kaum das Spiel begann, überkam mich eine wilde Kraft: ich lief auf und ab, auf und ab mit geballten Fäusten, und wie durch einen roten Nebel hörte ich manchmal meine eigene Stimme, wie sie heiser und böse ›Schach!‹ oder ›Matt!‹ sich selber zuschrie.

Wie dieser grauenhafte, dieser unbeschreibbare Zustand zur Krise kam, vermag ich selbst nicht zu berichten. Alles was ich darüber weiß, ist, dass ich eines Morgens aufwachte und es war ein anderes Erwachen als sonst. Mein Körper war gleichsam abgelöst von mir, ich ruhte weich und wohlig. Eine dichte gute Müdigkeit, wie ich sie seit Monaten nicht gekannt, lag auf meinen Lidern, lag so warm und wohltätig auf ihnen, dass ich mich zuerst gar nicht entschließen konnte, die Augen aufzutun. Minuten lag ich schon wach und genoss noch diese schwere Dumpfheit, dies laue Liegen mit wollüstig betäubten Sinnen. Auf einmal war mir, als ob ich hinter mir Stimmen hörte, lebendige menschliche Stimmen, leise flüsternde Stimmen, die Worte sprachen, und Sie können sich mein Entzücken nicht ausdenken, denn ich hatte doch seit Monaten, seit bald einem Jahr keine anderen Worte gehört als die harten, scharfen und bösen von der Richterbank. ›Du träumst‹, sagte ich mir. ›Du träumst! Tu' keinesfalls die Augen auf! Lass ihn noch dauern, diesen Traum, sonst siehst du wieder die verfluchte Zelle um dich, den Stuhl und den Waschtisch und den Tisch und die Tapete mit dem ewig gleichen Muster. Du träumst – träume weiter!‹

Aber die Neugier behielt die Oberhand. Ich schlug langsam und vorsichtig die Lider auf. Und Wunder: es war ein anderes Zimmer, in dem ich mich befand, ein Zimmer, breiter, geräumiger als meine Hotelzelle. Ein ungegittertes Fenster ließ freies Licht herein und einen Blick auf Bäume, grüne, im Wind wogende Bäume statt meiner starren Feuermauer, weiß und glatt glänzten die Wände, weiß und hoch hob sich über mir die Decke – wahrhaftig, ich lag in einem neuen, einem fremden Bett und wirklich, es war kein Traum, hinter mir flüsterten leise menschliche Stimmen. Unwillkürlich muss ich mich in meiner Überraschung heftig geregt haben, denn schon hörte ich hinter mir einen nahenden Schritt. Eine Frau kam weichen Gelenks heran, eine Frau mit weißer Haube über dem Haar, eine Pflegerin, eine Schwester. Ein Schauer des Entzückens lief über mich: ich hatte seit einem Jahr keine Frau gesehen. Ich starrte die holde Erscheinung an, und es muss ein wilder, ekstatischer Aufblick gewesen sein, denn ›Ruhig! Bleiben Sie ruhig!‹ beschwichtigte mich dringlich die Nahende. Ich aber lauschte nur auf ihre Stimme – war das nicht ein Mensch, der sprach? Gab es wirklich noch auf Erden einen Menschen, der mich nicht verhörte, nicht quälte? Und dazu noch – unfassbares Wunder! – eine weiche, warme, eine fast zärtliche Frauenstimme. Gierig starrte ich auf ihren Mund, denn es war mir in diesem Höllenjahr unwahrscheinlich geworden, dass ein Mensch gütig zu einem andern sprechen könnte. Sie lächelte mir zu – ja, sie lächelte, es gab noch Menschen, die gütig lächeln konnten –, dann legte sie den Finger mahnend auf die Lippen und ging leise weiter. Aber ich konnte ihrem Gebot nicht gehorchen. Ich hatte mich noch nicht sattgesehen an dem Wunder. Gewaltsam versuchte ich mich in dem Bette aufzurichten, um ihr nachzublicken, diesem Wunder eines menschlichen Wesens nachzublicken, das gütig war. Aber wie ich mich am Bettrande aufstützen wollte, gelang es mir nicht. Wo sonst meine rechte Hand gewesen, Finger und Gelenk, spürte ich etwas Fremdes, einen dicken, großen, weißen Bausch, offenbar einen umfangreichen Verband. Ich staunte dieses Weiße, Dicke, Fremde an meiner Hand zuerst verständnislos an, dann begann ich langsam zu begreifen, wo ich war, und zu überlegen, was mit mir geschehen sein mochte. Man musste mich verwundet haben oder ich hatte mich selbst an der Hand verletzt. Ich befand mich in einem Hospital.

Mittags kam der Arzt, ein freundlicher älterer Herr. Er kannte den Namen meiner Familie und erwähnte derart respektvoll meinen Onkel, den kaiserlichen Leibarzt, dass mich sofort das Gefühl überkam, er meine es gut mit mir. Im weiteren Verlauf richtete er allerhand Fragen an mich, vor allem eine, die mich erstaunte – ob ich Mathematiker sei oder Chemiker. Ich verneinte.

›Sonderbar‹, murmelte er. ›Im Fieber haben Sie immer so sonderbare Formeln geschrien, c3, c4. Wir haben uns alle nicht ausgekannt.‹

Ich erkundigte mich, was mit mir vorgegangen sei. Er lächelte merkwürdig.

›Nichts Ernstliches. Eine akute Irritation der Nerven‹, und fügte, nachdem er sich zuvor vorsichtig umgeblickt hatte, leise bei: ›Schließlich eine recht verständliche. Seit dem 13. März, nicht wahr?‹

Ich nickte.

›Kein Wunder bei dieser Methode‹, murmelte er. Sie sind nicht der erste. Aber sorgen Sie sich nicht. An der Art, wie er mir dies beruhigend zuflüsterte und dank seines begütigenden Blicks wusste ich, dass ich bei ihm gut geborgen war.

Zwei Tage später erklärte mir der gütige Doktor ziemlich freimütig, was vorgefallen war. Der Wärter hatte mich in meiner Zelle laut schreien hören und zunächst geglaubt, dass jemand eingedrungen sei, mit dem ich streite. Kaum er sich aber an der Tür gezeigt, hätte ich mich auf ihn gestürzt und ihn mit wilden Ausrufen angeschrien, die ähnlich klangen wie: ›Zieh schon einmal, du Schuft, du Feigling!‹, ihn bei der Gurgel zu fassen gesucht und schließlich so wild angefallen, dass er um Hilfe rufen musste. Als man mich in meinem tollwütigen Zustand dann zur ärztlichen Untersuchung schleppte, hätte ich mich plötzlich losgerissen, auf das Fenster im Gang gestürzt, die Scheibe zerschlagen und mir dabei die Hand zerschnitten – Sie sehen noch die tiefe Narbe hier. Die ersten Nächte im Hospital hätte ich in einer Art Gehirnfieber verbracht, aber jetzt finde er mein Sensorium völlig klar. ›Freilich‹, fügte er leise bei, ›werde ich das lieber nicht den Herrschaften melden, sonst holt man Sie am Ende noch einmal dorthin zurück. Verlassen Sie sich auf mich, ich werde mein Bestes tun.‹

Was dieser hilfreiche Arzt meinen Peinigern über mich berichtet hat, entzieht sich meiner Kenntnis. Jedenfalls erreichte er, was er erreichen wollte: meine Entlassung. Mag sein, dass er mich als unzurechnungsfähig erklärt hat, oder vielleicht war ich inzwischen schon der Gestapo unwichtig geworden, denn Hitler hatte seitdem Böhmen besetzt und damit war der Fall Österreich für ihn erledigt. So brauchte ich nur die Verpflichtung zu unterzeichnen, unsere Heimat innerhalb von vierzehn Tagen zu verlassen, und diese vierzehn Tage waren dermaßen erfüllt mit all den tausend Formalitäten, die heutzutage der einstmalige Weltbürger zu einer Ausreise benötigt, Militärpapiere, Polizei, Steuer, Pass, Visum, Gesundheitszeugnis, dass ich keine Zeit hatte, über das Vergangene viel nachzusinnen. Anscheinend wirken in unserem Gehirn geheimnisvoll regulierende Kräfte, die, was der Seele lästig und gefährlich werden kann, selbsttätig ausschalten, denn immer wenn ich zurückdenken wollte an meine Zellenzeit, löschte gewissermaßen in meinem Gehirn das Licht aus; erst nach Wochen und Wochen, eigentlich erst hier auf dem Schiff, fand ich wieder den Mut zu besinnen, was mir geschehen war.

Und nun werden Sie begreifen, warum ich mich so ungehörig und wahrscheinlich unverständlich Ihren Freunden gegenüber benommen. Ich schlenderte doch nur ganz zufällig durch den Rauchsalon, als ich Ihre Freunde vor dem Schachbrett sitzen sah; unwillkürlich fühlte ich den Fuß angewurzelt vor Staunen und Schrecken. Denn ich hatte total vergessen, dass man Schach spielen kann an einem wirklichen Schachbrett und mit wirklichen Figuren, vergessen, dass bei diesem Spiel zwei völlig verschiedene Menschen einander leibhaft gegenübersitzen. Ich brauchte wahrhaftig ein paar Minuten, um mich zu erinnern, dass was diese Spieler dort taten, im Grunde dasselbe Spiel war, was ich in meiner Hilflosigkeit monatelang gegen mich selbst versucht. Die Chiffren, mit denen ich mich beholfen während meiner grimmigen Exerzitien, waren doch nur Ersatz gewesen und Symbol für diese beinernen Figuren; meine Überraschung, dass dieses Figurenrücken auf dem Brett dasselbe sei wie mein imaginäres Phantasieren im Denkraum, mochte vielleicht der eines Astronomen ähnlich sein, der sich mit den kompliziertesten Methoden auf dem Papier einen neuen Planeten errechnet hat und ihn dann wirklich am Himmel erblickt als einen weißen, klaren, substantiellen Stern. Wie magnetisch festgehalten starrte ich auf das Brett und sah dort meine Schemata, Pferd, Turm, König, Königin und Bauern als reale Figuren, aus Holz geschnitzt; um die Stellung der Partie zu überblicken, musste ich sie unwillkürlich erst zurückmutieren aus meiner abstrakten Ziffernwelt in die der bewegten Steine. Allmählich überkam mich die Neugier, ein solches reales Spiel zwischen zwei Partnern zu beobachten. Und da passierte das Peinliche, dass ich, alle Höflichkeit vergessend, mich einmengte in Ihre Partie. Aber dieser falsche Zug Ihres Freundes traf mich wie ein Stich ins Herz. Es war eine reine Instinkthandlung, dass ich ihn zurückhielt, ein ganz impulsiver Zugriff, wie man, ohne zu überlegen ein Kind fasst, das sich über ein Geländer beugt. Erst später wurde mir die grobe Ungehörigkeit klar, deren ich mich durch meine Vordringlichkeit schuldig gemacht.«

Ich beeilte mich, Dr. B. zu versichern, wie sehr wir alle uns freuten, diesem Zufall seine Bekanntschaft zu verdanken und dass es für mich nach all dem, was er mir anvertraut, nun doppelt interessant sein werde, ihm morgen bei dem improvisierten Turnier zusehen zu dürfen. Dr. B. machte eine unruhige Bewegung.

»Nein, erwarten Sie wirklich nicht zu viel. Es soll nichts als eine Probe für mich sein ... eine Probe, ob ich ... ob ich überhaupt fähig bin, eine normale Schachpartie zu spielen, eine Partie auf einem wirklichen Schachbrett mit faktischen Figuren und einem lebendigen Partner ... denn ich zweifle jetzt immer mehr daran, ob jene hunderte und vielleicht tausende Partien, die ich gespielt habe, tatsächlich regelrechte Schachpartien waren und nicht bloß eine Art Traumschach, ein Fieberschach, ein Fieberspiel, in dem wie immer im Traum Zwischenstufen übersprungen wurden. Sie werden mir doch hoffentlich nicht im Ernst zumuten, dass ich mir anmaße, einem Schachmeister und gar dem ersten der Welt Paroli bieten zu können. Was mich interessiert und intrigiert, ist einzig die posthume Neugier, festzustellen, ob das in der Zelle damals noch Schachspiel oder schon Wahnsinn gewesen, ob ich damals noch knapp vor oder schon jenseits der gefährlichen Kippe mich befand – nur dies, nur dies allein.«

Vom Schiffsende dröhnte in diesem Augenblick der Gong, der zum Abendessen rief. Wir mussten – Dr. B. hatte mir alles viel ausführlicher berichtet, als ich es hier zusammenfasse – fast zwei Stunden verplaudert haben. Ich dankte ihm herzlich und verabschiedete mich. Aber noch war ich nicht das Deck entlang, so kam er mir schon nach und fügte sichtlich nervös und sogar etwas stottrig bei:

»Noch eines! Wollen Sie den Herren gleich im voraus ausrichten, damit ich nachträglich nicht unhöflich erscheine: ich spiele nur eine einzige Partie ... Sie soll nichts als der Schlussstrich unter eine alte Rechnung sein – eine endgültige Erledigung und nicht ein neuer Anfang ... Ich möchte nicht ein zweitesmal in dieses leidenschaftliche Spielfieber geraten, an das ich nur mit Grauen zurückdenken kann ... und übrigens ... übrigens hat mich damals auch der Arzt gewarnt ... ausdrücklich gewarnt. Jeder, der einer Manie verfallen war, bleibt für immer gefährdet und mit einer – wenn auch ausgeheilten – Schachvergiftung soll man besser keinem Schachbrett nahekommen ... Also Sie verstehen – nur diese eine Probepartie für mich selbst und nicht mehr.«

Pünktlich um die vereinbarte Stunde, drei Uhr, waren wir am nächsten Tage im Rauchsalon versammelt. Unsere Runde hatte sich noch um zwei Liebhaber der königlichen Kunst vermehrt, zwei Schiffsoffiziere, die sich eigens Urlaub vom Borddienst erbeten, um dem Turnier zusehen zu können. Auch Czentovic ließ nicht wie am vorhergehenden Tage auf sich warten, und nach der obligaten Wahl der Farben begann die denkwürdige Partie dieses homo obscurissimus gegen den berühmten Weltmeister. Es tut mir leid, dass sie nur für uns durchaus unkompetente Zuschauer gespielt war und ihr Ablauf für die Annalen der Schachkunde ebenso verloren ist wie Beethovens Klavierimprovisationen für die Musik. Zwar haben wir an den nächsten Nachmittagen versucht, die Partie gemeinsam aus dem Gedächtnis zu rekonstruieren, aber vergeblich; wahrscheinlich hatten wir alle während des Spiels zu passioniert, zu interessiert auf die beiden Spieler statt auf den Gang des Spiels geachtet. Denn der geistige Gegensatz im Habitus der beiden Partner wurde im Verlauf der Partie immer mehr körperlich plastisch. Czentovic, der Routinier, blieb während der ganzen Zeit unbeweglich wie ein Block, die Augen streng und starr auf das Schachbrett gesenkt; Nachdenken schien bei ihm eine geradezu physische Anstrengung, die alle seine Organe zu äußerster Konzentration nötigte. Dr. B. dagegen bewegte sich vollkommen locker und unbefangen. Als der rechte Dilettant im schönsten Sinne des Worts, dem im Spiel nur das Spiel, das »diletto« Freude macht, ließ er seinen Körper völlig entspannt, plauderte während der ersten Pausen erklärend mit uns, zündete sich mit leichter Hand eine Zigarette an und blickte immer nur gerade wenn an ihn die Reihe kam, eine Minute auf das Brett. Jedesmal hatte es den Anschein, als hätte er den Zug des Gegners schon im voraus erwartet.

Die obligaten Eröffnungszüge ergaben sich ziemlich rasch. Erst beim siebten oder achten schien sich etwas wie ein bestimmter Plan zu entwickeln. Czentovic verlängerte seine Überlegungspausen; daran spürten wir, dass der eigentliche Kampf um die Vorhand einzusetzen begann. Aber um der Wahrheit die Ehre zu geben, bedeutete die allmähliche Entwicklung der Situation wie jede richtige Turnierpartie für uns Laien eine ziemliche Enttäuschung. Denn je mehr sich die Figuren zu einem sonderbaren Ornament ineinander verflochten, um so undurchdringlicher wurde für uns der eigentliche Stand. Wir konnten weder wahrnehmen, was der eine Gegner noch was der andere beabsichtigte und wer von beiden sich eigentlich im Vorteil befand. Wir merkten bloß, dass sich einzelne Figuren wie Hebel vorschoben, um die feindliche Front aufzusprengen, aber wir vermochten nicht – da bei diesen überlegenen Spielern jede Bewegung immer auf mehrere Züge vorauskombiniert war – die strategische Absicht in diesem Hin und Wieder zu erfassen. Dazu gesellte sich allmählich eine lähmende Ermüdung, die hauptsächlich durch die endlosen Überlegungspausen Czentovics verschuldet war und die auch unseren Freund sichtlich zu irritieren begannen. Ich beobachtete beunruhigt, wie er, je länger die Partie sich hinzog, immer unruhiger auf seinem Sessel herumzurücken begann, bald aus Nervosität eine Zigarette nach der anderen anzündend, bald nach dem Bleistift greifend, um etwas zu notieren. Dann wieder bestellte er ein Mineralwasser, das er Glas um Glas hastig hinabstürzte; es war offenbar, dass er hundertmal schneller kombinierte als Czentovic. Jedesmal wenn dieser nach endlosem Überlegen sich entschloss, mit seiner schweren Hand eine Figur vorwärtszurücken, lächelte unser Freund nur wie jemand, der etwas lang Erwartetes eintreffen sieht und ripostierte bereits. Er musste mit seinem rapid arbeitenden Verstand im Kopf alle Möglichkeiten des Gegners vorausberechnet haben; je länger darum Czentovics Entschließung sich verzögerte, um so mehr wuchs seine Ungeduld, und um seine Lippen presste sich während des Wartens ein ärgerlicher und fast feindseliger Zug. Aber Czentovic ließ sich keineswegs drängen. Er überlegte stur und stumm und pausierte immer länger, je mehr sich das Feld von Figuren entblößte. Beim zweiundvierzigsten Zuge, nach geschlagenen zweidreiviertel Stunden, saßen wir schon alle ermüdet und beinahe teilnahmslos um den Turniertisch. Einer der Schiffsoffiziere hatte sich bereits entfernt, ein anderer ein Buch zur Lektüre genommen und blickte nur bei jeder Veränderung für einen Augenblick auf. Aber da geschah plötzlich bei einem Zuge Czentovics das Unerwartete. Sobald Dr. B. merkte, dass Czentovic den Springer fasste, um ihn vorzuziehen, duckte er sich zusammen wie eine Katze vor dem Ansprung. Sein ganzer Körper begann zu zittern, und kaum Czentovic den Springerzug getan, schob er scharf die Dame vor, sagte laut triumphierend: »So! Erledigt!«, lehnte sich zurück, kreuzte die Arme über der Brust und sah mit herausforderndem Blick auf Czentovic. Ein heißes Licht glomm plötzlich in seiner Pupille.

Unwillkürlich beugten wir uns über das Brett, um den so triumphierend angekündigten Zug zu verstehen. Auf den ersten Blick war keine direkte Bedrohung sichtbar. Die Äußerung unseres Freundes musste sich also auf eine Entwicklung beziehen, die wir kurzdenkenden Dilettanten noch nicht errechnen konnten. Czentovic war der einzige unter uns, der sich bei jener herausfordernden Ankündigung nicht gerührt hatte; er saß so unerschütterlich, als ob er das beleidigende »Erledigt!« völlig überhört hätte. Nichts geschah. Man hörte, da wir alle unwillkürlich den Atem anhielten, mit einemmal das Ticken der Uhr, die man zur Feststellung der Zugzeit auf den Tisch gelegt hatte. Es wurden drei Minuten, sieben Minuten, acht Minuten, – Czentovic rührte sich nicht, aber mir war, als ob sich von einer inneren Anstrengung seine dicken Nüstern noch breiter dehnten. Unserem Freunde schien dieses stumme Warten ebenso unerträglich wie uns selbst. Mit einem Ruck stand er plötzlich auf und begann im Rauchzimmer auf und ab zu gehen, erst langsam, dann schneller und immer schneller. Alle blickten wir ihm etwas verwundert zu, aber keiner beunruhigter als ich, denn mir fiel auf, dass seine Schritte trotz aller Heftigkeit dieses Auf und Ab immer nur die gleiche Spanne Raum ausmaßen; es war, als ob er jedesmal mitten im leeren Zimmer an eine unsichtbare Schranke stieße, die ihn nötigte umzukehren. Und schaudernd erkannte ich, es reproduzierte unbewusst dieses Auf und Ab das Ausmaß seiner einstmaligen Zelle; genau so musste er in den Monaten des Eingesperrtseins auf und ab gerannt sein wie ein eingesperrtes Tier im Käfig, genau so die Hände verkrampft und die Schultern eingeduckt; so und nur so musste er dort tausendmal auf und nieder gelaufen sein, die roten Lichter des Wahnsinns im starren und doch fiebernden Blick. Aber noch schien sein Denkvermögen völlig intakt, denn von Zeit zu Zeit wandte er sich ungeduldig dem Tisch zu, ob Czentovic sich inzwischen schon entschieden hätte. Aber es wurden neun, es wurden zehn Minuten. Dann endlich geschah, was niemand von uns erwartet hatte. Czentovic hob langsam seine schwere Hand, die bisher unbeweglich auf dem Tisch gelegen. Gespannt blickten wir alle auf seine Entscheidung. Aber Czentovic tat keinen Zug, sondern sein gewendeter Handrücken schob mit einem entschiedenen Ruck alle Figuren langsam vom Brett. Erst im nächsten Augenblick verstanden wir: Czentovic hatte die Partie aufgegeben. Er hatte kapituliert, um nicht vor uns sichtbar mattgesetzt zu werden. Das Unwahrscheinliche hatte sich ereignet, der

Weltmeister, der Champion zahlloser Turniere hatte die Fahne gestrichen vor einem Unbekannten, einem Manne, der zwanzig oder fünfundzwanzig Jahre kein Schachbrett angerührt. Unser Freund, der Anonymus, der Ignotus hatte den stärksten Schachspieler der Erde in offenem Kampfe besiegt!

Ohne es zu merken, waren wir in unserer Erregung einer nach dem anderen aufgestanden. Jeder von uns hatte das Gefühl, er müsste etwas sagen oder tun, um unserem freudigen Schrecken Luft zu machen. Der einzige, der unbeweglich in seiner Ruhe verharrte, war Czentovic. Erst nach einer gemessenen Pause hob er den Kopf und blickte unseren Freund mit steinernem Blick an.

»Noch eine Partie?«, fragte er.

»Selbstverständlich«, antwortete Dr. B. mit einer mir unangenehmen Begeisterung und setzte sich, noch ehe ich ihn an seinen Vorsatz mahnen konnte, es bei einer Partie bewenden zu lassen, sofort wieder nieder und begann mit fiebriger Hast, die Figuren neu aufzustellen. Er rückte sie mit solcher Hitzigkeit zusammen, dass zweimal ein Bauer durch die zitternden Finger zu Boden glitt; mein schon früher peinliches Unbehagen angesichts seiner unnatürlichen Erregtheit wuchs zu einer Art Angst. Denn eine sichtbare Exaltiertheit war über den vorher so stillen und ruhigen Menschen gekommen; das Zucken fuhr immer öfter um seinen Mund, und sein Körper zitterte wie von einem jähen Fieber geschüttelt.

»Nicht!«, flüsterte ich ihm leise zu. »Nicht jetzt! Lassen Sie's für heute genug sein! Es ist für Sie zu anstrengend.«

»Anstrengend! Ha!«, lachte er laut und boshaft. »Siebzehn Partien hätte ich unterdessen spielen können statt dieser Bummelei! Anstrengend ist für mich einzig, bei diesem Tempo nicht einzuschlafen! – Nun! Fangen Sie doch schon einmal an!«

Diese letzten Worte hatte er in heftigem, beinahe grobem Ton zu Czentovic gesagt. Dieser blickte ihn ruhig und gemessen an, aber sein steinern starrer Blick hatte etwas von einer geballten Faust. Mit einemmal stand etwas Neues zwischen den beiden Spielern; eine gefährliche Spannung, ein leidenschaftlicher Hass. Es waren nicht zwei Partner mehr, die ihr Können spielhaft aneinander proben wollten, es waren zwei Feinde, die sich gegenseitig zu vernichten geschworen. Czentovic zögerte lange, ehe er den ersten Zug tat und mich überkam das deutliche Gefühl, er zögerte mit Absicht so lange. Offenbar hatte der geschulte Taktiker schon herausgefunden, dass er gerade durch seine Langsamkeit den Gegner ermüdete und irritierte. So setzte er nicht weniger als vier Minuten aus, ehe er die normalste, die simpelste aller Eröffnungen machte, indem er den Königsbauer die üblichen zwei Felder vorschob. Sofort fuhr unser Freund mit seinem Königsbauern ihm entgegen, aber wieder machte Czentovic eine endlose, kaum zu ertragende Pause; es war, wie wenn ein starker Blitz niederfährt und man pochenden Herzens auf den Donner wartet und der Donner kommt und kommt nicht. Czentovic rührte sich nicht. Er überlegte, still, langsam und, wie ich immer gewisser fühlte, boshaft langsam; damit aber gab er mir reichlich Zeit, Dr. B. zu beobachten. Er hatte eben das dritte Glas Wasser hinabgestürzt; unwillkürlich erinnerte ich mich, dass er mir von seinem fiebrigen Durst in der Zelle erzählt. Alle Symptome einer abnormalen Erregung zeichneten sich deutlich ab; ich sah seine Stirne feucht werden und die Narbe auf seiner Hand röter und schärfer als zuvor. Aber noch beherrschte er sich. Erst als beim vierten Zug Czentovic wieder endlos überlegte, verließ ihn die Haltung und er fauchte ihn plötzlich an:

»So spielen Sie doch schon endlich einmal!«

Czentovic blickte kühl auf. »Wir haben meines Wissens zehn Minuten Zugzeit vereinbart. Ich spiele prinzipiell nicht mit kürzerer Zeit.«

Dr. B. biss sich die Lippe; ich merkte, wie unter dem Tisch seine Sohle unruhig und immer unruhiger gegen den Boden wippte, und wurde selbst unaufhaltsam nervöser durch das drückende Vorgefühl, dass sich irgend etwas Unsinniges in ihm vorbereitete. In der Tat ereignete sich bei dem achten Zug ein zweiter Zwischenfall. Dr. B., der immer unbeherrschter gewartet hatte, konnte seine Spannung nicht mehr verhalten; er rückte hin und her und begann unbewusst mit den Fingern auf dem Tisch zu trommeln. Abermals hob Czentovic seinen schweren bäurischen Kopf.

»Darf ich Sie bitten, nicht zu trommeln? Es stört mich. Ich kann so nicht spielen.«

»Ha!«, lachte Dr. B. kurz. »Das sieht man.«

Czentovics Stirn wurde rot. »Was wollen Sie damit sagen?«, fragte er scharf und böse.

Dr. B. lachte abermals knapp und boshaft. »Nichts. Nur dass Sie offenbar sehr nervös sind.«

Czentovic schwieg und beugte seinen Kopf nieder. Erst nach sieben Minuten tat er den nächsten Zug, und in diesem tödlichen Tempo schleppte sich die Partie fort. Czentovic versteinte gleichsam immer mehr; schließlich schaltete er immer das Maximum der vereinbarten Überlegungspause ein, ehe er sich zu einem Zug entschloss, und von einem Intervall zum andern wurde das Benehmen unseres Freundes sonderbarer. Es hatte den Anschein, als ob er an der Partie gar keinen Anteil mehr nehme sondern mit etwas ganz anderem beschäftigt sei. Er ließ sein hitziges Auf- und Niederlaufen und blieb an seinem Platz reglos sitzen. Mit einem stieren und fast irren Blick ins Leere vor sich starrend, murmelte er ununterbrochen unverständliche Worte vor sich hin; entweder verlor er sich in endlosen Kombinationen oder er arbeitete – dies war mein innerster Verdacht – sich ganz andere Partien aus, denn jedesmal, wenn Czentovic endlich gezogen hatte, musste man ihn aus seiner Geistesabwesenheit zurückmahnen. Dann brauchte er immer einige Minuten, um sich in der Situation wieder zurechtzufinden; immer mehr beschlich mich der Verdacht, er habe eigentlich Czentovic und uns alle längst vergessen in dieser kalten Form des Wahnsinns, der sich plötzlich in irgendeiner Heftigkeit entladen konnte. Und tatsächlich, bei dem neunzehnten Zug brach die Krise aus. Kaum dass Czentovic seine Figur bewegt, stieß Dr. B. plötzlich, ohne recht auf das Brett zu blicken, seinen Läufer drei Felder vor und schrie derart laut, dass wir alle zusammenfuhren:

»Schach! Schach dem König!«

Wir blickten in der Erwartung eines besonderen Zuges sofort auf das Brett. Aber nach einer Minute geschah, was keiner von uns erwartet. Czentovic hob ganz, ganz langsam den Kopf und blickte – was er bisher nie getan – in unserem Kreise von einem zum andern. Er schien irgend etwas unermesslich zu genießen, denn allmählich begann auf seinen Lippen ein zufriedenes und deutlich höhnisches

Lächeln. Erst nachdem er diesen seinen uns noch unverständlichen Triumph bis zur Neige genossen, wandte er sich mit falscher Höflichkeit unserer Runde zu.

»Bedaure – aber ich sehe kein Schach. Sieht vielleicht einer von den Herren ein Schach gegen meinen König?«

Wir blickten auf das Brett und dann beunruhigt zu Dr. B. hinüber. Czentovics Königsfeld war tatsächlich – ein Kind konnte das erkennen – durch einen Bauern gegen den Läufer völlig gedeckt, also kein Schach dem König möglich. Wir wurden unruhig. Sollte unser Freund in seiner Hitzigkeit eine Figur danebengestoßen haben, ein Feld zu weit oder zu nah? Durch unser Schweigen aufmerksam gemacht, starrte jetzt auch Dr. B. auf das Brett und begann heftig zu stammeln:

»Aber der König gehört doch auf f7 … er steht falsch, ganz falsch … Sie haben falsch gezogen! Alles steht ganz falsch auf diesem Brett … der Bauer gehört doch auf g5 und nicht auf g4 … Das ist ja eine ganz andere Partie … Das ist …«

Er stockte plötzlich. Ich hatte ihn heftig am Arm gepackt oder vielmehr ihn so hart in den Arm gekniffen, dass er selbst in seiner fiebrigen Verwirrtheit meinen Griff spüren musste. Er wandte sich um und starrte mich wie ein Traumwandler an.

»Was … was wollen Sie?«

Ich sagte nichts als: »Remember!« und fuhr ihm gleichzeitig mit dem Finger über die Narbe an seiner Hand. Er folgte unwillkürlich meiner Bewegung, sein Auge starrte glasig auf den blutroten Strich. Dann begann er plötzlich zu zittern und ein Schauer lief über seinen ganzen Körper.

»Um Gotteswillen«, flüsterte er mit blassen Lippen.

»Habe ich etwas Unsinniges gesagt oder getan ... bin ich am Ende wieder ...?«

»Nein«, flüsterte ich leise. »Aber Sie müssen sofort die Partie abbrechen, es ist höchste Zeit. Erinnern Sie sich, was der Arzt Ihnen gesagt!«

Dr. B. stand mit einem Ruck auf. »Ich bitte um Entschuldigung für meinen dummen Irrtum«, sagte er mit seiner alten höflichen Stimme und verbeugte sich vor Czentovic. »Es ist natürlich purer Unsinn, was ich gesagt habe. Selbstverständlich bleibt es Ihre Partie.« Dann wandte er sich zu uns. »Auch die Herren muss ich um Entschuldigung bitten. Aber ich hatte Sie gleich im voraus gewarnt, Sie sollten von mir nicht zuviel erwarten. Verzeihen Sie die Blamage – es war das letzte Mal, dass ich mich im Schach versucht habe.«

Er verbeugte sich und ging, in der gleichen bescheidenen und geheimnisvollen Weise, mit der er zuerst erschienen. Nur ich wusste, warum dieser Mann nie mehr ein Schachbrett berühren würde, indes die andern ein wenig verwirrt zurückblieben mit dem ungewissen Gefühl, mit knapper Not etwas Unbehaglichem und Gefährlichem entgangen zu sein. »Damned fool«, knurrte McConnor in seiner Enttäuschung. Als letzter erhob sich Czentovic von seinem Sessel und warf noch einen Blick auf die halbbeendete Partie.

»Schade«, sagte er großmütig. »Der Angriff war gar nicht so übel disponiert. Für einen Dilettanten ist dieser Herr eigentlich ungewöhnlich begabt.«

Anhang

Editorische Notiz

Die vorliegende Ausgabe der *Schachnovelle* ist die erste, die den Text der Erzählung, im Sinne einer Ausgabe letzter Hand, getreu nach Stefan Zweigs Typoskripten veröffentlicht.

Sowohl die deutschen Erstausgaben von Buenos Aires (1942) und Stockholm (1943) als auch spätere Veröffentlichungen in deutscher Sprache, aber bemerkenswerterweise auch jene Editionen, die sich auf das »Originaltyposkript« berufen, weisen eine Fülle von Abweichungen gegenüber der letzten vom Autor korrigierten Fassung der *Schachnovelle* auf. Dabei handelt es sich vor allem um Auslassungen von Satzteilen, Wörtern und Buchstaben, um Ergänzungen, Abweichungen bei der Schreibweise einzelner sowie um ausgetauschte Wörter, um Abschreibfehler, um Änderungen in der Satzkonstruktion, Setzung von Absätzen, Orthographie und Interpunktion.

Alle derartigen Eingriffe in das Textcorpus der *Schachnovelle*, die von Lektoren, Übersetzern oder Verlegern seit ihrem ersten Erscheinen 1942 absichtlich oder irrtümlich vorgenommen wurden und die sich in gedruckten Ausgaben entdecken lassen, wurden in dieser kritischen Edition zurückgenommen.

Die vier Typoskripte

Am Samstag, 21. Februar 1942, einen Tag vor seinem Suizid, brachte Stefan Zweig drei Typoskripte der *Schachnovelle* zur Post. Sie waren an zwei Verleger in New York und einen Übersetzer in Buenos Aires gerichtet und für die deutsche, die amerikanische und die argentinische Buchausgabe bestimmt. Die drei Begleitbriefe, die Stefan Zweig den Typoskripten beigelegt hatte, sind überliefert. Lotte Zweig, Stefan Zweigs zweite Ehefrau, hatte die Umschläge handschriftlich adressiert. Das Kuvert an den New Yorker Verleger Ben W. Huebsch, eines jener drei Kuverts, zeigt den Poststempel mit dem Aufdruck: »Petrópolis, Brasil – 21. FEV 42«.

Die Forschung (Schwamborn, Berlin, Beck u. a., vgl. die Bibliographie ab Seite 118) stützte sich vor allem auf zwei dieser in deutscher Sprache geschriebenen, jeweils 62 Seiten paginierten, seitenidentischen Typoskripte von 64 Blatt (incl. einer Titelseite, den Seiten 44a und 44b), die Zweig am 21. Februar verschickt hatte. Übereinstimmungen bei Wörtern mit geringfügig verzerrtem Anschlag bzw. gelegentlich zu findende atypische Abstände zwischen Worten oder Buchstaben bestätigen, dass es sich um Durchschläge handelt. Beide Typoskripte weisen dieselben handschriftlichen Korrekturen von Lotte Zweig auf:

Typoskript A – Das an Ben W. Huebsch, den Leiter des Verlages *Viking Press*, New York, gesandte Exemplar für die amerikanische Ausgabe. Huebsch war in diesem Fall auch der Übersetzer. Das Typoskript befindet sich im Nachlass von Ben W. Huebsch in der *Manuscript Division* der *Library of Congress* in Washington.

Typoskript B – Das an Dr. Gottfried Bermann-Fischer ebenfalls nach New York gesandte Typoskript, das nach Herstellung einer Sicherungsabschrift, um die Zweig im Begleitbrief ersuchte, für die Veröffentlichung im deutschen Exil-Verlag *Bermann-Fischer* nach Stockholm weitergeleitet werden sollte. Es wird heute im *Manuscripts Department* der *Lilly Library* in Bloomington, Indiana, aufbewahrt.

Es existieren zwei weitere Typoskripte der *Schachnovelle*:

Typoskript C – Das dritte Typoskript, das am 21. Februar 1942 in Petrópolis verschickt wurde, war für den argentinischen Übersetzer Alfredo Cahn in Buenos Aires bestimmt. Zweig legte seinem Freund Cahn in einem Begleitbrief die Verwendung für spanischsprachige Veröffentlichungen durch »Zeitschriften und Verleger« nahe. Wir kennen zwar den Brief, nicht aber den eigentlichen Inhalt des Briefes: das Typoskript C. Es befindet sich nicht, wie Ingrid Schwamborn (vgl. Schwamborn, 1999, S. 218) vermutet, im Teil-Nachlass von Alfredo Cahn im Archiv der Universität Córdoba in Argentinien. Recherchen des Herausgebers, unter anderem an den verschiedenen Orten des Cahn-Nachlasses, auch in Deutschland, haben das Typoskript bis heute noch nicht ausfindig machen können.

Durch den gleichzeitigen Versand mit den Typoskripten A und B liegt es allerdings nahe, dass dieses Typoskript C mit den Versionen A und B in Textgestaltung und Umfang identisch und vermutlich ein weiterer Durchschlag ist, jedenfalls auch die analogen Korrekturen von der Hand Lotte Zweigs enthalten dürfte.

Typoskript D – Das vierte Typoskript, über dessen Herkunft und Verbleib lange gerätselt wurde, befindet sich heute in der *Zweig-Collection* der *State University of New*

York at Fredonia, im amerikanischen Bundesstaat New York. Schon 1991 konnte der Herausgeber dieses Exemplar bei den Zweig-Erben in London studieren und schließlich eine Original-Seite des Typoskripts (die Seite 56) in der Salzburger Ausstellung »Stefan Zweig – Für ein Europa des Geistes« von 1992 präsentieren. In dem Bildband *Stefan Zweig – Bilder, Texte, Dokumente,* der die aus aller Welt zusammengetragenen Funde unserer Ausstellung dokumentierte, haben wir diese Seite des *Schachnovellen*-Typoskripts sogar im Faksimile abgebildet (Renoldner, 1993, S. 209). Im Jahr 2002 kam das Typoskript D mit anderen Dokumenten aus dem Nachlass Stefan Zweigs von London in das Archiv der SUNY Fredonia.

Bei Typoskript D handelt es sich um jenes Exemplar, das Zweig (mit Briefen und anderen Materialien) seinem Verleger Abrahão Koogan für die brasilianische Ausgabe in Petrópolis hinterlassen hat. Unwahrscheinlich ist, was Knut Beck annimmt, dass das Typoskript D von Zweig schon einen Tag zuvor, am 20. Februar 1942, bei seinem letzten Besuch in Rio de Janeiro, im Safe von Koogans Verlag *Editora Guanabara* deponiert worden ist.

Zweig erwähnt in seinem sogenannten ersten Abschiedsbrief an Koogan vom 18. Februar 1942 die *Schachnovelle* im Zusammenhang mit jenen Manuskripten, die »aufgefunden werden« (Zweig, Briefe IV, S. 747). Wenn in Zweigs letztem Brief an Koogan vom 21. Februar 1942 nochmals von »meinen kleinen Erzählungen« die Rede ist, kann man davon ausgehen, dass damit auch die *Schachnovelle* gemeint war (ebd., S. 755).

Dieses 64seitige Typoskript D ist, wie die erwähnten Eigenheiten des Schreibmaschinen-Anschlags in vielen Fällen bestätigen, seitenidentisch mit A und B. Sehr wahrscheinlich handelt es sich bei D um das oberste Blatt der typographischen Reinschrift der *Schachnovelle*, bei A, B und C um die entsprechenden Durchschläge.

Das Besondere ist, dass D in den handschriftlichen Korrekturen wesentlich von A und B abweicht: D enthält sowohl Korrekturen von Stefan Zweigs Hand (bis zur Seite 26), womöglich auch einige wenige Eintragungen von Lotte Zweig. Entscheidend sind jedoch zahlreiche handschriftliche Korrekturen, Streichungen, Überschreibungen, Ergänzungen, Änderungen der Satzstellung und zahlreiche weitere Eingriffe in das Textcorpus von dritter Hand, die ausschließlich in diesem Typoskript D zu finden sind.

Nach einem Vergleich mit einer Schriftprobe kann man davon ausgehen, dass diese Änderungen von Victor Wittkowski eingetragen wurden. Zu diesem Ergebnis kommt auch Siegfried Schönle (vgl. Schönle, 2009). Der deutsche Schriftstellerkollege Victor Wittkowski (1906–1960) stand mit Zweig seit längerem in brieflicher Verbindung und traf mit ihm erstmals 1941 in Rio zusammen. Zweig hatte Wittkowski in seinem undatierten (vermutlich am 22. Februar 1942 geschriebenen) Abschiedsbrief gebeten, seine nachgelassenen Manuskripte, in Abstimmung mit dem brasilianischen Verleger, durchzusehen. In diesem Brief heißt es: »[...] ich habe meinen Freund und Verleger Koogan gebeten, meine vollendeten und unvollendeten Manuskripte von Ihnen durchsehen zu lassen. An Unveröffentlichtem sind da insbesondere eine ›Schachnovelle‹, eine Novelle ›War es er?‹ [recte: ›War er es?‹, K. R.] – und, was mir das Wichtigste ist, daß Sie darüber wachen, daß das Manuskript der Autobiographie gut aufbewahrt wird.« (Wittkowski, 1960, S. 113)

Dieser Brief verleitete Wittkowski zu der irrtümlichen Annahme, er sei von Zweig als Nachlassverwalter eingesetzt worden (vgl. Prater, 1981, S. 453; Beck, 1999, S. 186 f.).

In dem erwähnten Brief vom 18. Februar teilte Zweig Abrahão Koogan mit, was mit seinem literarischen Nachlass geschehen solle. Dort heißt es: »Was die deutschen Manuskripte angeht, die aufgefunden werden, so ist davon nichts vollendet außer einer kleinen Novelle (*Schachnovelle*). Der Balzac, der Montaigne, ein begonnener Roman, sind ein Anfangskonzept. Lassen Sie sie in jedem Fall von Victor Wittkowski Hotel Russell praia Russell gegen ein Honorar durchsehen.« (Zweig, Briefe IV, S. 747)

Wie aber sollte dieser Auftrag konkret zu verstehen sein, was bedeutet für Stefan Zweig: ein Manuskript »durchsehen«? Im Zusammenhang mit einer Lektorats-Durchsicht des Typoskripts der *Welt von Gestern*, um die Zweig Wittkowski schon einige Monate zuvor gebeten hatte, heißt es: »Nun habe ich einen merkwürdigen Defekt des künstlerischen Auges – ich s e h e nichts in einem maschinegeschriebenen und auch schon durchkorrigierten Manuskript. Meine Klarheit kommt, sobald ich die ersten Fahnen habe, und bei der Insel [gemeint ist der »Insel-Verlag« in Leipzig, in dem, zwischen 1906 und 1933, der größte Teil von Zweigs Werken erschienen war] konnte ich mir den Luxus leisten, auf den Fahnen noch stilistisch und inhaltlich wie in einem Manuskript zu schalten. Das ist vorbei. Ich möchte Sie nun fragen, ob Sie bereit wären, Kapitel auf Kapitel durchzusehen auf jene Kleinigkeiten wie Wortwiederholungen, Unstimmigkeiten, Undeutlichkeiten, all dies, was ich selber (ermüdet von dem fortwährenden Bessern) nicht sehe. Es war immer meine Gepflogenheit bei den Korrekturen noch einen Mitleser zu haben, außerdem haben noch im Verlag die Korrektoren manches ertappt – ich hoffe, es könnte Ihnen zur Arbeit auch noch einigen Spaß machen.« (Wittkowski, 1960, S. 117)

Die in großer Schrift vermerkte Bleistift-Notiz Lotte Zweigs auf der Titelseite des Typoskripts D »Endgültige Fassung, aber noch nicht nachkorrigiert! vergl. mit den anderen Exemplaren.« dürfte, nach Abwägung aller Möglichkeiten, nicht der eigenen Erinnerung dienlich gewesen sein, sondern sollte wohl als Hinweis für Wittkowski gelten.

Demzufolge sollte Wittkowski die fehlenden restlichen Korrekturen in dieser Fassung nachtragen. Das hat er auch durchgeführt (jedoch ist nicht klar, welche der zu Ende korrigierten Vorlagen ihm dabei dienlich war). Wittkowski hat aber als Lektor darüber hinaus noch viele weitere Veränderungen im Text der *Schachnovelle* vorgenommen, die für die vorliegende Ausgabe, von ein paar illustrierenden Beispielen abgesehen, keine Berücksichtigung finden können.

Allerdings waren Wittkowskis Änderungen für die brasilianische Übersetzung von entscheidender Bedeutung, ja in einigen Fällen könnte man sogar annehmen, Wittkowski wollte dem brasilianischen Übersetzer, für den er sich nicht nur um akkurate Leserlichkeit bemühte, durch Vereinfachungen mancher Formulierungen behilflich sein. Ein Vergleich von D mit der brasilianischen Erstausgabe von 1942 hat zweifelsfrei ergeben, dass der Übersetzer ins Portugiesische, Odilon Gallotti, dieses Typoskript D für seine Übersetzung als Vorlage herangezogen hat. Gallotti hat viele (wenn auch nicht alle) der z. T. eigenwilligen Veränderungen Wittkowskis, die sich in A und B nicht finden, bei seiner Übersetzung ins Portugiesische berücksichtigt.

Ein weiterer Mosaikstein fügt sich ein: In dem Typoskript D finden sich außerdem einige portugiesische Wörter mit Bleistift am Seitenrand bzw. zwischen den Zeilen notiert, die möglicherweise vom Übersetzer Gallotti selbst stammen. Auch in diesem Fall hat der Vergleich mit der brasilianischen Erstausgabe ergeben, dass D als Grundlage für die brasilianische Übersetzung gedient hat, denn die mit Bleistift notierten Wörter finden sich in der Übersetzung wieder.

Zur endgültigen Präzisierung der Geschichte des Typoskripts D gehört auch die Auskunft von Wittkowski in seinem undatierten Text »Ein Fall Stefan Zweig. Eine Darstellung und ein Appell«, der sich im Deutschen Literaturarchiv in Marbach befindet und das bisher Dargelegte bestätigt. Hier heißt es:

> »Nach Stefan Zweigs letztem Willen habe ich kürzlich das deutsche Original der ›Schachnovelle‹ revidiert, die einen Bestandteil des neuen Novellenbandes ›Drei Leidenschaften‹ bildet. Die tragische Ironie des Schicksals will es, dass die Bücher der emigrierten deutschen Autoren heute meist zuerst in Übertragungen erscheinen. So ist die ›Schachnovelle‹ nun zuerst in der brasilianischen Gesamtausgabe des Verlages Guanabara erschienen, der die Übertragung nach dem von mir revidierten deutschen Text hat vornehmen lassen.«

To the Viking Press publishing company
18 East 48 Street Newyork-City
Stefan Zweig
21. II 1942

S c h a c h n o v e l l e

von

Stefan Zweig

Stefan Zweig, *Schachnovelle.* – Typoskript A, Titelseite; Vorlage für die amerikanische Ausgabe im Verlag Viking Press, New York; mit handschriftlichem Vermerk von Stefan Zweig.

Wie Victor Wittkowski weiter berichtet, verlangten die Zweig-Erben, dass er ihnen sein Typoskript der *Schachnovelle* nach London senden solle. Noch einmal Wittkowski:

> »Ein Exemplar dieser Novelle hat jetzt der Erbe, Herr Dr. Altmann, angefordert. Da ich nicht einmal die Kontrolle darüber habe, ob das von mir redigierte Exemplar der Novelle an ihn gesandt worden ist, und ob er dieses Exemplar, wenn er es erhält, den Übersetzungen in anderen Sprachen zugrunde legen wird, so besteht die Gefahr, dass die weiteren Übersetzungen im Wortlaut voneinander abweichen werden, weil sie nicht auf ein gemeinsames Original zurückgehen. Das aber ist das, was ich ein Chaos und eine Konfusion nenne, ein unhaltbarer, skandalöser Zustand [...]«

Typoskript D kam also aus Brasilien in jene Nachlass-Bestände, die bei den Zweig-Erben Hannah und Manfred Altmann resp. dem Verleger Kurt Maschler, der in ihrem Auftrag die Weltrechte Zweigs verwaltete, in London zusammengetragen wurden. Für die weiteren deutschsprachigen Editionen der *Schachnovelle* wurde die Fassung D, entgegen Wittkowskis Hoffnung, nicht herangezogen. Die von ihm befürchtete Konfusion trat ein.

Der synoptische Vergleich der drei vorliegenden Typoskripte ergibt folgendes Bild:

In jedes der am 21. Februar 1942 versandten Exemplare hat Lotte Zweig handschriftlich Seite um Seite die entsprechenden Korrekturen eingetragen. Es handelt sich – abge-

Scheu und das überraschende Bekenntnis des Fremden mit seiner doch unverkennbaren Spielkunst [illegible] in Einklang zu bringen. In einer Hinsicht jedoch blieben wir alle einig: keinesfalls auf das Schauspiel eines neuerlichen Kampfes zu verzichten. Wir beschlossen, alles zu versuchen, damit unser Helfer am nächsten Tage eine Partie gegen Czentovic spiele, für deren materielles Risiko McConnor aufzukommen sich verpflichtete. Da sich inzwischen durch Umfrage beim Steward herausgestellt hatte, dass der Unbekannte ein Oesterreicher sei, wurde mir als seinem Landsmann der Auftrag ~~zugeteilt~~, ihm unsere Bitte zu unterbreiten.

Ich ~~benötigte nicht lange~~, um den so [illegible] ~~Entschwundenen~~ aufzufinden. Er lag auf seinem Deck-chair und las. Ehe ich auf ihn zutrat, nahm ich die Gelegenheit wahr, ihn zu betrachten. Der scharfgeschnittene Kopf ruhte in der Haltung leichter Ermüdung auf dem Kissen; abermals fiel mir [illegible] des verhältnismässig jungen Gesicht die merkwürdige Blässe besonders auf, [illegible] die Haare ~~so frühzeitig~~ weiss die Schläfen rahmten; ich hatte, ich weiss nicht warum, den Eindruck, dieser Mann müsse plötzlich gealtert sein. ~~Kaum~~ ich auf ihn zutrat, ~~stand~~ er höflich ~~auf~~ und stellte sich mit einem Namen vor, der mir sofort vertraut war, als der einer hochangesehenen altösterreichischen Familie. Ich erinnerte mich, dass ein [illegible] zu dem engsten Freundeskreis Schuberts gehört hatte und auch einer der Leibärzte des alten Kaisers dieser Familie entstammte. Als ich Dr. B. unsere Bitte übermittelte, die Herausforderung Czentovics anzunehmen, war er sichtlich verblüfft. Es erwies sich, dass er [illegible] keine Ahnung gehabt hatte, bei ~~dieser~~ Partie einen Weltmeister und gar den zur Zeit erfolgreichsten ruhmreich bestanden zu haben. Aus irgend einem Grunde schien diese Mitteilung auf ihn besonderen Eindruck zu machen, denn er ~~fragte~~ immer und immer wieder von neuem, ob ich ~~dessen~~ ~~gewiss sei~~, dass [illegible] tatsächlich ein Weltmeister gewesen. Ich merkte ~~bald~~, dass dieser Umstand ~~mir den~~ Auftrag erleichterte,

Stefan Zweig, *Schachnovelle*. – Typoskript D, Seite 24; mit handschriftlichen Korrekturen von Stefan Zweig und Victor Wittkowski.

sehen von wohl aus Gründen der Flüchtigkeit verursachten und für unsere Ausgabe zu vernachlässigenden minimalsten Abweichungen – um identische Textfassungen A, B und vermutlich auch C.

Auch im Typoskript D finden sich die meisten handschriftlichen Korrekturen, die in A und B eingebracht wurden, aber nicht alle. Zudem sind sie, wie dargelegt, in D teilweise von Stefan Zweig und teilweise von Victor Wittkowski eingetragen worden.

Für die vorliegende deutsche Ausgabe der *Schachnovelle* hat verständlicherweise nur die letzte überlieferte Korrekturphase des Autors Gültigkeit: Alle nach dem Tode Zweigs vorgenommenen Korrekturen, also auch jene von Victor Wittkowski im Typoskript D sowie sämtliche Abweichungen in den gedruckten Ausgaben der *Schachnovelle* sind nicht vom Verfasser autorisiert und finden daher in dieser Edition keine Berücksichtigung.

Drucklegung

Die Geschichte der Drucklegung der *Schachnovelle* ist sorgfältig dokumentiert. Die erste gedruckte Ausgabe der *Schachnovelle* erschien im September 1942 in der Übersetzung ins brasilianische Portugiesisch von Odilon Gallotti in Abrahão Koogans Verlag »Editora Guanabara« in Rio de Janeiro. Der Band in der Reihe der Gesammelten Werke in Einzelbänden heißt *As três paixoes. Três novelas* (»Drei Leidenschaften. Drei Novellen«). In diesem Band wurde die *Schachnovelle* gemeinsam mit zwei weiteren späten Erzählungen *War er es?* und *Die spät bezahlte Schuld* veröffentlicht. Bemerkenswert in der brasilianischen Ausgabe ist die

Stefan Zweig, *As três paixões. Três novelas.* (»Drei Leidenschaften – Drei Novellen«), Rio de Janeiro 1942 – Schutzumschlag der ersten Ausgabe der *Schachnovelle*, veröffentlicht in einem Band mit Erzählungen aus dem brasilianischen Nachlass.

Veränderung des Titels: Die Novelle heißt hier »A Partida de Xadrez«, also: »Eine Partie Schach« oder »Die Schachpartie«.

Die erste deutschsprachige Ausgabe der *Schachnovelle* erschien im Dezember 1942 in Argentinien: Der kleine argentinische Verlag »Pigmalión« hatte das Typoskript aus Alfredo Cahns Besitz verwenden können und die *Schachnovelle* in einer Auflage von 250 Stück als »Liebhaberdruck« veröffentlicht. 50 weitere Exemplare dieser Ausgabe wurden vermutlich auf Bestellung von János Peter Kramer, einem aus Deutschland stammenden Kunsthändler und Verleger bibliophiler Ausgaben, der Zweig 1940 kennengelernt hatte, gedruckt. Anstelle des Verlagsnamens »Pigmalión« ist in diesen 50 Exemplaren ein »Verlag Janos Peter Kramer, Buenos Aires« angegeben.

In dieser ersten deutschsprachigen Ausgabe befindet sich der Vermerk: »Das Original dieses Buches wurde vom Verfasser wenige Stunden vor dessen Tod seinem Freund und Übersetzer Alfredo Cahn zugeschickt und erscheint als Liebhaberdruck in einer nummerierten Auflage. Fünfzig Exemplare in Leinen gebunden tragen die Nummern I bis L, zweihundertfünfzig Exemplare auf Offset C Papier gedruckt tragen die Nummern 1 bis 250.«

Beide Versionen dieser deutschen Erstausgabe wurden von dem gleichen Druckstock hergestellt, sind also seitenidentisch. Bemerkenswert ist jedoch, dass auch in dieser argentinischen Edition im Sinne eines wohlmeinenden Lektorats zahlreiche Eingriffe in den Text vorgenommen wurden.

Die zweite (oder wenn man will: dritte) deutsche Ausgabe erschien 1943 im Verlag Bermann-Fischer in Stockholm. Obwohl auch in ihr zahlreiche Änderungen am Originaltext vorgenommen worden waren, bildete sie lange Zeit die Grundlage für weitere deutsche Ausgaben.

Zu dieser Ausgabe

Um zu einem gesicherten Textcorpus der *Schachnovelle* zu gelangen, wurden die Typoskripte A, B und D herangezogen. Der Herausgeber konnte die Originale in den Archiven von Fredonia und Washington persönlich studieren und Kopien anfertigen, in Fotokopie lag ihm auch die Fassung der *Schachnovelle* aus der *Lilly Library* Bloomington, Indiana, vor.

Die vorliegende Ausgabe der *Schachnovelle* folgt in Orthographie, Interpunktion und Absatzgliederung Zweigs Typoskripten. Folgende Änderungen wurden vorgenommen:
Aufgrund besserer Lesbarkeit wurde die ß- und ss-Schreibung der heutigen Schreibweise angeglichen. In den Typoskripten gibt es lediglich ein Doppel-s, da Zweig vermutlich nur eine Schreibmaschine mit portugiesischer Tastatur zur Verfügung stand.

Verändert wurden Umlaute am Wortanfang: so wird »Oesterreicher« zu »Österreicher«, »Aehnlichkeit« zu »Ähnlichkeit«, »Ueberlegenheit« zu »Überlegenheit« usw. Die übrigen Eingriffe des Herausgebers in den Text sind hier aufgelistet:

6,9 f. orthographischen] *korrigiert aus* ortographischen | 6,12 f. südslawischen] *korrigiert aus* südslavischen | 8,31 Café] Kaffee | 9,14 südslawischen] *korrigiert aus* südslavischen | 14,3 »Jedoch, da werden] *Original:* Jedoch »Da werden | 23,2f. Aplomb] *A, B schreiben irrtümlich* Applomb, *D ersetzt das Wort mit* Nachdruck | 25,26 war] *fehlt in A, B, D* | 36,6 Dollfuß] *korrigiert aus* Dollfus | 36,14 *Das* wir *fehlt in A, B, D wohl versehentlich* | 37,15 SS-Leuten] *korrigiert aus* S. S.-Leuten | 50,30 Betttuch] *korrigiert aus* Bettuch | 61,5 wollüstig] *korrigiert aus* wohllüstig | 62,6 der sprach?] *in A, B, D* der sprach! | 66,23 ich mir anmaße] *korrigiert aus* ich mich anmaße | 69,10 Hin und Wieder] Hin und Wider | 71,10f. schaudernd] *korrigiert aus* schauernd

Die substantivierten Schachtermini »Matt«, »Remis«, »Schwarz« und »Weiß« usw. werden durchgängig großgeschrieben. In Zweigs Typoskripten wechselt die Schreibweise ohne erkennbaren Grund.

Unterbrechungen im Satz, vor allem innerhalb der direkten Rede, werden in dieser Ausgabe einheitlich mit drei Punkten angezeigt, bei Zweig sind es meistens zwei Punkte. Offenkundige Tippfehler, die irrtümliche doppelte Schreibung desselben Wortes sowie einige wenige Fehler bei der Groß- und Kleinschreibung wurden kommentarlos richtiggestellt.

Zwei besondere Eigenheiten von Zweigs Stil wurden konsequent beibehalten, obwohl die Korrekturen Wittkowskis in der Fassung D und auch existierende *Schachnovelle*-Ausgaben diesbezüglich mancherlei Veränderungen vornahmen:

1. Zweig verzichtet in Relativsätzen fast durchgängig auf den Abschluss mit Hilfe des finiten Verbs, etwa »hatte« oder »war«, um eine stilistische Höhung bzw. Archaisie-

rung zu erreichen; z.B. S. 38,19 f.: Männer, »die in Österreich sich aufopfernd für die Monarchie eingesetzt«. Oder: S. 46,20: der »Riss am Fensterbrett, den ich millionenmal betrachtet«. Oder S. 52,4 ff.: »jetzt erst begann ich zu verstehen, welche unermessliche Wohltat mein frecher Diebstahl mir erobert«. Besonders deutlich wird der dergestalt erzielte elliptische Effekt in Sätzen wie z.B. S. 53,29: »Kaum ich die erste Eröffnung getan, ...«.

2. Im Gegensatz zum heute üblichen Sprachgebrauch stellt Zweig das Reflexivpronomen häufig nach, etwa um die Aneinanderreihung von Nominalgruppen zu unterbrechen: S. 18,14 ff.: »... ein schottischer Tiefbauingenieur, der wie ich hörte, bei Ölbohrungen in Kalifornien sich ein großes Vermögen gemacht hatte ...«; oder S. 23,10 ff.: »Nach jedem Zuge werde er, um unsere Beratungen nicht zu stören, sich zu einem anderen Tisch am Ende des Raumes verfügen.« Ähnlich wirken auch die auffällige Betonung der attributiven Erweiterung des Akkusativobjekts: S. 6,21 ff.: »Mirko starrte die schon hundertmal ihm erklärten Schriftzeichen immer wieder fremd an ...«.

Diese Edition der *Schachnovelle* korrigiert die bisherigen Ausgaben. Die Liste der folgenden Richtigstellungen bezieht sich auf die Stefan-Zweig-Ausgabe der *Gesammelten Werke in Einzelausgaben* im Verlag S. Fischer (S.Z., *Buchmendel. Erzählungen*, Frankfurt a.M. ^{2}2007, S. 248–314). Im »Bibliographischen Nachweis« (S. 330) heißt es fälschlicherweise: »Der Text der vorliegenden Ausgabe folgt dem Originaltyposkript.«

5,1 mitternachts] um Mitternacht
5,9 deck-show] Deck-show
5,11 Promenadedeck] Promenadendeck
5,22 nun des Namens] nun
5,29 Bogoljubow] Bogoljubow,
6,6 eine solche] solch eine
6,10 schreiben und,] schreiben, und
6,21 alle Anstrengungen] die Anstrengungen
6,26 f. zur Hilfe nehmen] zu Hilfe nehmen,
6,27 lesen,] lesen
7,15 dumpfe Bursche] Bursche
7,23 Sterben] Sterben,
7,25 zögern,] zögern
8,1 zuende] zu Ende
8,1 , spaßte er] spaßte er
8,3 Brette] Brett
8,10 , rief] rief
8,15 gute Pater] Pfarrer
8,19 einzigesmal] einziges Mal
8,25 wie weit] wieweit
8,30 mit seinem Schlitten in] in seinem Schlitten mit in
9,5 f. schweren hohen] schweren, hohen
9,18 müsse] müsste
9,21 Graf] Grafen
9,29 Wasserklosett] *in Fassung D Änderung zu* Badezimmer
10,5 allein gleichzeitig] allein
10,12 strengeren] strengen
10,13 Nationalstolz] *in Fassung D* Lokalstolz
10,24 Schachspiels] Schachspieles
10,27 Jahr] Jahre
11,2 Schachfeld] Schlachtfeld
11,12 engeren] engen
13,1 Feld] Felde
13,25 verschlossenen] verschossenen
14,5 Geringste] geringste

14,16 Mein Freund] *kein Absatz* Mein Freund
14,29 Tages, in seiner Kabine auf] Tages in seiner Kabine, um auf
15,18 eine Wissenschaft, eine Technik, eine Kunst] eine Wissenschaft, eine Kunst
15,21 Gegensätzepaare:] Gegensatzpaare;
16,6 andern] anderen
16,24 müsste] musste
18,2 die mir von Hitler verbotene] die verbotene
18,29 Selfmade-man] Selfmademan
19,13 oder er] oder dass er
20,4 Weltschachmeister] Schachmeister
20,5 fügte ich bei] fügte ich hinzu
20,5 überstehen,] überstehen
20,15f. gewesen] gewesen,
20,23 das von den] das mit den
20,30 Weltmeisters] Weltmeisters,
21,5 etwa zehn] zehn
21,12 versuchte] versuchte,
22,5 umso] um so
23,6 besagen –] besagen –,
23,10 Zuge] Zug
23,21 Zeitung] Zeitschrift
24,22 lassen] lassen,
24,29f. in seinen Augen jenes Flackern unbeherrschbarer Leidenschaft] in seinem Auge jenes Flackern unbeherrschter Leidenschaft
25,15f. mit seinem Willen zu gewinnen magnetisieren;] mit seinem Willen, zu gewinnen, magnetisieren
25,25 siebzehnten] siebenunddreißigsten
26,4 gemeinsamen] gemeinsamem
26,11 Gotteswillen] Gottes Willen
26,20 zurück …] zurück.
27,2 reiste und sein plötzliches Kommen, sein] reiste, und sein plötzliches Kommen und
27,4f. fasste sich McConnor zusammen:] fasste sich McConnor.

27,11 f. ihn in zwei Tempis einen Bauern] ihn zwei Tempis, einen Bauern
27,18 Buche] Buch
27,27 gewohnt-gleichmütigen] gewohnt gleichmütigen
28,4 c3–d5] d3–e5
28,5 f. Druck nach vorwärts, statt zu verteidigen.«] Druck vorwärts, statt zu verteidigen!«
28,8 chinesisch] Chinesisch
28,11 Zum erstenmale] Zum ersten Male
28,18 einemmale] einem Male
29,2 sodass] so dass
29,3 schweren Lidern] schwarzen Lidern
29,11 kommen wir auf Remis und kein Gott] können wir auf Remis, und kein Gott
29,19 f. von dem Promenadedeck] vom Promenadendeck
30,23 Ich] ich
30,24 f. und … und] … und
30,27 Bitte entschuldigen Sie] Bitte, entschuldigen Sie
30,28 Ich] ich
31,24 Mit einem Mal] Mit einemmal
31,30 würde – faszinierte] würde –, faszinierte
32,9 Weise: selbst] Weise, selbst
32,22 Promenadedeck] Promenadendeck
32,23 Entflüchteten] *Das ursprünglich getippte Wort* Entschwundenen *wird in der Fassung A und B durchgestrichen und mit* Entflüchteten *überschrieben; in D wird daraus* Entflohenen
33,10 erfolgreichsten] erfolgreichsten,
33,17 zu verschweigen] ihm zu verschweigen
34,9 weiß Gott] Weiß Gott
34,25 wurden und] wurden, und
34,31 nahe stand] nahestand
35,25 Monarchistenkreise in Wien] Monarchistenkreise
36,13 Betriebs] Betriebes
36,13 verwerteten wir ihn] verwendeten wir ihn
36,24 eigentlichen Vorgängen] wesentlichen Vorgängen

36,27 allerhand] allerlei
36,29 f. gesprochen statt wie vereinbart vom] gesprochen, statt, wie vereinbart, vom
37,5 f. verwandelt hatte und er sich mehrfach beinahe zudringlich angeboten,] verwandelt und er sich mehrfach beinahe zudringlich angeboten hatte,
37,7 kann mich einer] kann mich von einer
37,9 Militärs der Welt] Militärs
37,14 Abdankung gab] Abdankung bekanntgab,
37,21 in letzter Minute] in der letzten Minute
38,3 überführt] übergeführt
38,21 zu Unrecht – dass] zu Unrecht –, dass
38,22 sich noch] sich noch,
38,23 f. so holten sie mich] sie holten mich
38,28 abgeschoben] abgeschoben,
39,4 f. wo sie jeder ein abgesondertes Zimmer erhielten] wo jeder ein abgesondertes Zimmer erhielt
39,9 humanere] humanere,
39,11 stopfte] stopfte,
39,16 Folter] Folterung
39,19 als das Nichts] wie das Nichts
39,22 f. sollte statt von außen durch Prügel und Kälte] sollte, statt von außen durch Prügel und Kälte,
39,26 eine Tür, einen Tisch,] eine Tür,
41,23 f. von mir] aus mir
43,1 f. Stunde und diese nie] Stunde, und diese nie,
43,22 konnte] konnte,
44,6 Was wissen sie? Was wissen sie nicht?] Was wissen sie?
45,2 wusste] wusste,
45,3 wo ich] in dem ich
45,20 f. Untersuchungszimmers] Untersuchungsrichters
45,31 den 27. Juli] dem 27. Juli
46,3 f. selbstverständlich ohne mich niedersetzen zu dürfen,] selbstverständlich, ohne mich niedersetzen zu dürfen
46,13 könnten] könnten,

46,14 würden als] würden, als
46,18 statt einem] statt einem,
46,24 militärische Mäntel] Militärmäntel
46,24 f. Folterknechte] Folterknechte,
47,1 wollte die Falte entlang] wollte, die Falte entlang,
47,8 all diese] alle diese
49,8 f. diesmal kurz aus] diesmal kurz aus,
49,19 mit mir] bei mir
49,26 nichts Leichtes] nichts Leichtes,
50,20 a1–a2, Sf1–Sg3] a2–a3, Sf1–g3
50,23 a, b, c,] a, b, c
51,6 f. und so weiter] und so weiter,
51,16 von Anfang an] von Anfang
51,31 einer Partitur] der Partitur
52,3 oder] oder,
52,5 f. erobert] eroberte
52,6 mit einemmale] mit einem Male
52,19 angestrengtester] anstrengendster
52,28 unfehlbar] unfehlbar,
52,31 Schachstrategen] Schachstrategen,
53,1 Tartakower] Tartakower,
53,5 zurück;] zurück:
53,23 f. jede einzelne dieser Partien] jede einzelne Partie
54,16 einzig darauf] einzig darin
54,21 zu parieren] parieren
54,22 ein- und dieselbe] ein und dieselbe
54,23 f. ein- und dasselbe] ein und dasselbe
55,1 Paradoxie] Paradoxie,
55,11 dem Liegestuhl] den Liegestuhl
55,17 hoffe ich] hoffe ich,
55,31 f. schon rein körperlich] rein körperlich
56,1 auf die andere] auf die andere Seite
56,5 oder] oder,
56,6 genötigt] gezwungen
56,9 Figuration] Figuration,

56,10 auszukalkulieren] auszukalkulieren,
56,12 imaginieren] imaginieren,
56,23 Experiment] Experiment,
56,29 anstrengender] anstrengender,
56,31 memoriert;] memoriert,
57,1 f. exercitium mentalis] Exercitium mentale
57,18 nein Ich weiß] nein Ich weiß,
57,21 Ungeduld] Ungeduld,
57,26 sinnlos] sinnlos,
57,29 Zustande] Zustand
58,16 f. eines meiner beiden Schach-Ich] eines der beiden Schach-Ich
58,17 besiegt worden] besiegt
58,26 stieß ich mich] stieß es mich
59,1 Stirne] Stirn
59,13 mein irres Spiel] mein irres Spiel,
59,31 f. auf und ab, auf und ab, und immer] auf und ab und immer
60,2 Gier] Gier,
60,8 dem andern Ich nicht] mit dem andern nicht
60,13 ungekannten] unbekannten
60,19 dass wenn] dass, wenn
60,22 auf und ab, auf und ab] auf und ab
60,25 ›Schach!‹] ›Schach‹
60,28 f. aufwachte] aufwachte,
60,31 dichte gute] dichte, gute
61,7 Stimmen, leise flüsternde Stimmen,] Stimmen,
61,12 Tu'] Tu
61,17 Aber] *kein Absatz* Aber
61,26 Traum, hinter mir] Traum, hinter, mir
62,1 lief über mich] fiel über mich
63,7 geschrien, c3, c4] geschrien – c3, c4
63,18 zuflüsterte] zuflüsterte,
63,23 schreien hören] schreien gehört
64,1 f. zerschlagen] eingeschlagen
64,3 hätte] hatte
64,14 besetzt] besetzt,

64,26 löschte] erlosch
64,29 Mut zu besinnen] Mut, mich zu besinnen
65,8 leibhaft] leibhaftig
65,9 f. dass was] dass, was
65,11 was ich] das ich
66,1 f. ein ganz impulsiver] ein impulsiver
66,17 f. hunderte und vielleicht tausende] Hunderte und vielleicht Tausende
66,23 f. Schachmeister und gar dem ersten der Welt] Schachmeister, und gar dem ersten der Welt,
66,28 Kippe] Klippe
66,30 dröhnte] tönte
67,27 f. homo obscurissimus] Homo obscurissimus
68,4 f. zu passioniert, zu interessiert] zu passioniert
68,24 siebten] siebenten
69,4 beabsichtigte und wer von beiden] beabsichtigte, und wer von den beiden
69,12 f. verschuldet war und] verschuldet war,
69,21 Jedesmal] Jedesmal,
70,29 acht Minuten] zehn Minuten, elf Minuten
71,21 f. es wurden neun, es wurden zehn Minuten] es wurden vierzehn, es wurden fünfzehn, es wurden siebzehn Minuten
72,18 sofort wieder nieder] sofort nieder
72,28 »Nicht!«,] »Nicht!«
73,13 ersten Zug tat] ersten Zug tat,
73,18 f. Königsbauer] Königsbauern
73,30 einer abnormalen Erregung] einer anomalen Erregung
74,22 »Ha!«,] »Ha!«
75,6 Auf- und Niederlaufen] Auf und niederlaufen
75,6 f. reglos] regungslos
76,16 ganz falsch ...] ganz falsch.
76,18 Das ist ja] das ist ja
76,26 nichts als: »Remember!«] nichts als »Remember!«
76,27 Narbe an seiner Hand] Narbe seiner Hand
76,31 Gotteswillen] Gottes willen
77,21 »Damned fool!«,] »Damned fool!«

Anmerkungen

5,9 *deck-show:* musikalische Darbietung auf dem Oberdeck eines Schiffes.

5,11 *Promenadedeck:* Deck eines Passagierschiffes für den Aufenthalt der Passagiere unter freiem Himmel.

5,29 *Aljechin:* Alexander Aljechin (1892–1946) stammte aus Russland, war von 1927–1935 und von 1937–1946 Schachweltmeister.

5,29 *Capablanca:* José Raul Capablanca y Graupera (1888–1942), war bereits mit zwölf Jahren kubanischer Schachmeister, Schachgroßmeister und -weltmeister.
Tartakower: Savielly Grigoriewitsch Tartakower (1887–1956), österreichisch-russischer Schachgroßmeister, Verfasser von Büchern und Aufsätzen über das Schachspiel. Sein Buch *Die hypermoderne Schachpartie* (1925) war Stefan Zweigs wichtigste Quelle für die *Schachnovelle*, eigentlich also kein »Altmeister«.
Lasker: Emanuel Lasker (1868–1941), deutscher Schachweltmeister, u.a. Verfasser von Schachbüchern.
Bogoljubow: Efim Dmitrijewitsch Bogoljubow (1889–1952), ukrainisch-deutscher Schachgroßmeister.

6,2 *Rzecewski:* richtig: Samuel Reshevsky (1911–1992), amerikanisches Schachwunderkind, das schon im Alter von acht Jahren bedeutende Meister besiegen konnte. Im Jahre 1922 wäre er elf Jahre alt gewesen, nicht sieben, wie Zweig schreibt.

6,13 f. *Barke:* mastloses, kleines Boot.

8,10 *Bileams Esel!:* Bileam, ein Seher im Alten Testament, dessen Esel zu sprechen beginnt, als ein Engel Gottes beiden den Weg versperrt (vgl. 4 Mose 22,30).

8,16 *Famulus:* hier: Knecht.

8,31–9,1 *enragierten:* hier: begeisterten.

9,10 *sizilianische Eröffnung:* Weiß e2–e4, Schwarz c7–c5 (die allein eigentlich keinen Spielvorteil bringt).

10,3 *Simultanpartie:* Schachwettkampf, bei dem ein Spieler

gleichzeitig gegen mehrere Gegner an jeweils verschiedenen Brettern antritt.

10,7 *Usus:* hier: Brauch, Regel.

11,1 *blind:* ohne Brett, aber vorgängig, also eigentlich nicht auswendig (eine alte Partie rekapitulierend).

11,16 *stupenden:* erstaunlichen.

11,23 *Kutusow:* Michail Ilarionowitsch Kutusow (1745–1813), im Kampf gegen Napoleon Oberbefehlshaber der russischen Truppen. Bei der Belagerung von Moskau durch die französischen Truppen entschied er sich nach langem Zögern für die Übergabe der Stadt, um sie dann selbst niederzubrennen. Vgl. Leo Tolstois *Krieg und Frieden.*

11,24 *Hannibal:* afrikanischer Feldherr der Karthager (247 – 182 v. Chr.), der mit seiner Armee, von Elefanten unterstützt, die Alpen überquerte und in mehreren großen Schlachten gegen die Römer erfolgreich war.
Fabius Cunctator: Quintus Fabius Maximus Verrucosus, gest. 203 v. Chr., war im Zweiten Punischen Krieg mit einer raffinierten Hinhaltetaktik der römischen Armee gegen Hannibal erfolgreich; daher auch sein Beiname *Cunctator:* der Zauderer.
Livius: Titus Livius (59 v. Chr. – 17. n. Chr.), römischer Historiker, der in seinem nur teilweise erhaltenen Werk *Ab urbe condita* (Seit der Gründung der Stadt Rom) die römische Geschichte von den Anfängen bis in seine Gegenwart erzählte.

11,26 *Phlegma:* bedächtige, schwermütige Gemütsart.
Imbezillität: Dummheit, Zurückgebliebenheit.

11,27 *illustre:* bunte, vielgestaltige, vornehme.

12,15 *zum Gaudium:* zum Ergötzen, zur Freude.

12,26 *galizischer:* Das multikulturelle »Königreich Galizien und Lodomerien« war von 1772 bis 1919 Teil des österreichisch-ungarischen Vielvölkerstaates; nach dem Ersten Weltkrieg wurde der westliche Teil polnisch, nach 1945 wurde Galizien Teil der ukrainischen sozialistischen Sowjetrepublik, heute Republik Ukraine.

13,7 f. *Präpotenz:* Unverschämtheit.

13,9 *Banat:* multinationale, vorwiegend bäuerliche Region im östlichen Mitteleuropa mit hohem deutschen Bevölkerungsanteil (Banater Schwaben), seit dem 18. Jahrhundert unter österreichischer bzw. ungarischer Verwaltung, nach Ende des Ersten Weltkriegs, im Frieden von Trianon, zwischen Rumänien (Hauptstadt Temesvar), Jugoslawien und Ungarn aufgeteilt.

13,25 *monomanischen:* von einer Idee besessenen.

13,30 *Abbreviatur:* Abkürzung, hier: Verkürzung.

13,31–14,1 *Spezimen:* Probe, Erscheinung.

14,2 *Rio:* Eigentlich fährt das Schiff, wie wir in 5,2 lesen können, nicht nach Rio, sondern nach Buenos Aires. Stefan Zweigs Fehlleistung?

14,24 *peripatetische Deckrunde:* Der rastlose Rundgang auf dem Deck erinnert den Erzähler an die Peripatetiker, Schüler des griechischen Philosophen Aristoteles, die im Hin- und Hergehen in einem Wandelgang (Peripatos) ihre Gedanken entwickelten.

14,28 *Steward:* Diener auf einem Schiff.

15,11 *Attraktion:* Anziehungskraft.

16,12 *Gall:* Franz Joseph Gall (1758–1828), deutscher Arzt, der in Wien die nach ihm benannte Schädellehre entwickelte. Seine physiognomischen Studien, mit denen er charakterliche Eigenschaften des Menschen aus den Eigenheiten der Schädelform abzuleiten versuchte, waren schon zu Zweigs Zeit heftig umstritten.

16,21 *tauben Gesteins:* Gestein ohne Erz.

17,18 *proponierte:* vorschlug.

18,7 *Smoking Room:* Rauchsalon.

18,9 *vogelstellerisch:* wie jemand, der Vögel dadurch anzulocken und zu fangen sucht, indem er gezähmte Vögel oder Vogelattrappen (»Lockvögel«) als Lockmittel nutzt.

18,19 *prononcierte:* ausgesprochene, starke.

19,26 *Gewogen und zu leicht befunden:* Anspielung auf das Buch Dan. 5,25–28: Dem babylonischen König Belsazar erscheint bei einem Gelage eine geisterhafte Hand, die die genannten Worte als Warnzeichen, als *Menetekel*, an die Wand schreibt.

links: Der russisch-französische Schachweltmeister Alexander Alexandrowitsch Aljechin (1892–1946).

unten: Dritte Runde im Moskauer Schachturnier vom 12. November 1925: links Efim Bogoljubow (1889–1952), rechts Akiba Kiwelowicz Rubinstein (1882–1961).

20,6 *illustren:* hier: offensichtlichen.
20,14 *Simultanpartie:* vgl. Anm. zu 10,3.
21,1 *Promenadedeck:* vgl. Anm. zu 5,11.
21,15 *kontraktliche:* vertragliche.
21,30 *C'est son métier.:* (frz.) Das ist sein Beruf. Darin liegt seine Stärke.
22,5 *in Cash:* in bar.
22,17 *deplacierten:* fehl am Platz seienden.
22,20 *deklariert:* hier: ausgegeben, bezeichnet.
23,2 f. *Aplomb:* (frz.) Nachdruck, Bestimmtheit.
23,29 *präpotente:* vgl. Anm. zu 13,7 f.
24,3 *impertinente:* unverschämte.
24,25 *Nüstern:* hier: Nasenflügel.
25,5 *doubliert:* verdoppelt.
25,25 *siebzehnten Zuge:* Schachspezialisten meinen hier einen Fehler Stefan Zweigs entdeckt zu haben. Sie versuchten nachzuweisen, dass der bisherige Verlauf des Spieles nicht mit siebzehn Zügen (für die jeweils zehn Minuten Zeit unüblich und sehr viel sind; üblich ist eine Zeitspanne für das gesamte Spiel, die sich der Spieler selbst einteilen kann mittels einer Schachuhr) zu erreichen sei. Vermutlich aus diesem Grunde wurde in verschiedenen Ausgaben der *Schachnovelle* an dieser Stelle eine Korrektur vorgenommen und man las von einem *siebenunddreißigsten Zuge.* Aber auch gegen diese Annahme, Amateure würden einem Schachweltmeister 37 Züge lang widerstehen können, gab es fachkundige Bedenken. Hier bleibt der Originalverlauf des Typoskripts erhalten (vgl. Vesely, 1969, S. 521).
25,28 *c-Linie:* vertikale Felder-Linie des Schachbretts (von links nach rechts von Weiß ausgezählt).
26,5 *Finte:* Täuschung, Falle.
26,25 *Aljechin gegen Bogoljubow:* Zweig legt hier eine Partie zugrunde, die er in dem Schachbuch *Die hypermoderne Schachpartie* von Tartakower gefunden hatte. Das hier wiedergegebene Diagramm zeigt die Stellung nach 38. d6:

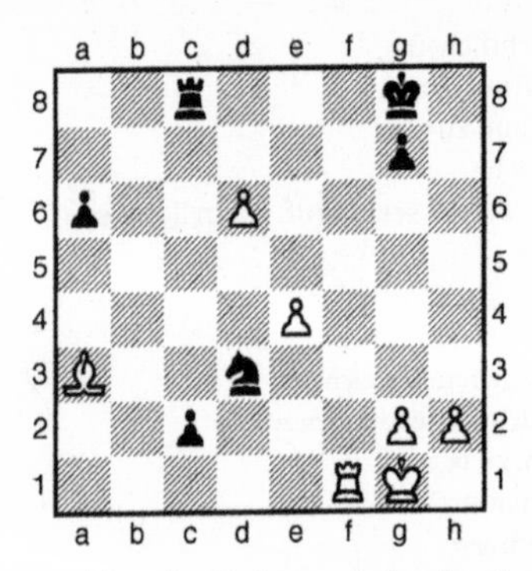

Mit folgender Variante würden die Gegner von Czentovic verlieren: 38. … c1D 39. L×c1 S×c1 40. d7 Se2+ 41. Kf2. Weiß steht damit auf Gewinn:

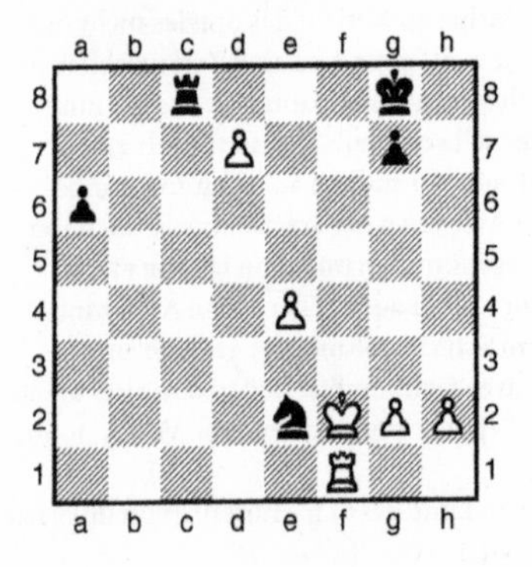

Die Variante, mit der Dr. B. das Remis herausholt, lautet so: 38. … Kh7 39. h4 Tc4 40. e5 S×e5 41. Lb2 Tc8 42. Tc1 Sd7 43. Kf2 Kg6 44. Ke3 Tc6 45. Ld4 Sf6 46. Kd3 T×d6 47. T×c2. Damit ist folgende Stellung erreicht:

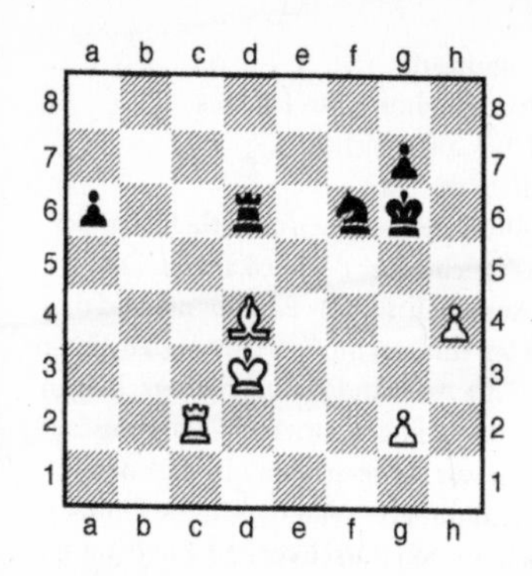

26,25 *Pistyaner:* Pistyan, deutscher Name für Pięštany; Kleinstadt in der westlichen Slowakei, auch berühmter Kurort mit einer heißen radioaktiven Schwefelquelle und Austragungsort von Schachwettkämpfen.

27,11 *Tempis:* ein Maß für den Faktor Zeit im Schach. Hier: zwei Züge.

27,29 *Königsflügel:* vom Spieler aus gesehen rechts.

30,26 *Verstattung:* Erlaubnis.

30,27 *Vordringlichkeit:* Aufdringlichkeit.

33,4 *Schuberts:* gemeint ist der österreichische Komponist Franz Schubert (1797–1828).

33,5 *des alten Kaisers:* Franz Joseph I., vorletzter Kaiser der österreichisch-ungarischen Monarchie, regierte von 1848 bis 1916 in Wien.

34,24 *Causen: (lat.)* Rechtsfälle; eingedeutschte Pluralform.

34,30 f. *der klerikalen Partei:* Gemeint ist die in ihrer Programmatik der katholischen Kirche nahestehende Christlich-Soziale Partei Österreichs, nach 1945 »Österreichische Volkspartei«.

35,2 *Fonds:* Vermögensreserven.

35,5 *Seitenstetten:* Das barocke Benediktinerkloster Seitenstetten, gegründet zu Beginn des 12. Jahrhunderts, liegt unweit der Stadt Steyr im westlichsten Niederösterreich.

35,18 *Transaktionen:* Übertragungen.

35,21 *Kurie:* oberste Verwaltungsbehörde des Papstes.

35,25 *ostentativ:* mit Nachdruck, offensichtlich.

35,26 f. *De facto:* Tatsächlich, in der Tat.

36,6 *Dollfuß:* Engelbert Dollfuß (1892–1934), christlich-sozialer Politiker, wurde 1932 österreichischer Bundeskanzler. Die von ihm durchgesetzte Ausschaltung des Parlaments und das Verbot der anderen Parteien führten im Februar 1934 zu einem Bürgerkrieg. Dollfuß ließ die Aufstände blutig niederschlagen. Am 1. Mai 1934 proklamierte er eine autoritäre Verfassung (»Austrofaschismus«), nun war in Österreich nur die von der christlich-sozialen Partei dominierte »Vaterländische Front« zugelassen. Bei dem gescheiterten Putschversuch der österreichischen Nationalsozialisten wurde Dollfuß im Juli 1934 im Bundeskanzleramt erschossen.

36,7 *Schuschnigg:* Kurt Edler von Schuschnigg (1897–1977), nach dem Tod von Dollfuß dessen Nachfolger als »Kanzlerdiktator«. Er bekräftigte die antidemokratische Verfassung Österreichs und suchte die enge Verbindung mit dem faschistischen Italien und den Ausgleich mit Hitler-Deutschland und den Nationalsozialisten. Sein Versuch, Österreich als zweiten deutschen Staat zu behaupten, scheiterte unter dem massiven Druck Hitlers; am 11. März 1938 trat Schuschnigg zurück, am 13. März marschierten deutsche Soldaten in Österreich ein. Schuschnigg war eine von rund 50 000 Personen, die in den ersten Tagen von der Gestapo verhaftet wurden. Wie Dr. B. wurde er im »Hotel Métropole« festgehalten und bis 1945 als privilegierter politischer Häftling in mehreren Konzentrationslagern inhaftiert.

36,21 *Priorei:* Kanzlei des Priors eines Klosters, eines für die wirtschaftlichen Belange zuständigen Mitgliedes der Klosterleitung.

36,30 *›Baron Fern‹:* ein in der Kanzlei von Dr. B. offenbar gebräuchliches Pseudonym für Kaiser Franz Josef.

37,11 *Gestapo:* Abkürzung für »Geheime Staatspolizei«, den gefürchteten Polizeiapparat des nationalsozialistischen

Deutschlands, der insbesondere all jene mit großer Härte verfolgte, die in den Verdacht kamen, Gegner des NS-Regimes zu sein. Ab März 1938 auch in Österreich tätig. Wegen ihrer unumschränkten Macht und ihrer brutalen Methoden gefürchtet.

37,14 *Abdankung:* in der Rundfunkrede vom 11. März 1938, 19.30 Uhr.

37,15 *SS-Leuten:* Abkürzung für »Schutzstaffel«. Die SS war eine militärische Einrichtung, die schon 1925 von den Nationalsozialisten begründet wurde. Nach Hitlers Machtergreifung 1933 wurde die SS zu einem gefürchteten Apparat von Einschüchterung und Terror ausgebaut und wirkte auch in den von Hitler besetzten Territorien. Besondere Verbände der SS waren für die nationalsozialistischen Konzentrationslager verantwortlich.

38,4 f. *Torturen:* Folterungen.

38,8 f. *Ressentiment:* Vorbehalte, tiefe Abneigung.

38,14 *Strohmänner:* vorgeschobene, die eigentlich Verantwortlichen verdeckende Personen.

38,30 f. *Baron Rothschild:* Auch der jüdische Bankier Louis Nathaniel von Rothschild wurde Mitte März 1938 in Wien verhaftet und, wie Dr. B., in einem Zimmer des »Hotel Métropole« als »Schutzhäftling« gefangengehalten.

39,3 *Hotel Metropole:* Für Gäste der Wiener Weltausstellung von 1873 gebautes mondänes Hotel mit 400 Zimmern am Morzinplatz bzw. Franz Josephs Kai, im ersten Wiener Gemeindebezirk gelegen. Das Hotel wurde 1938 beschlagnahmt und zur Gestapo-Leitstelle der Gauhauptstadt Wien umfunktioniert. Das »Hotel Métropole« war als Terrorzentrale gefürchtet, im Keller gab es Verhör- und Folterräume. Das Hotel wurde im Krieg zerstört und nicht mehr aufgebaut; es nahm bei der »Identitätsfindung des wiedererstandenen kleinen Österreich einen gewichtigen Platz ein« (Kerschbaumer, 2011, S. 226). Heute erinnert eine Gedenktafel an diesen Ort des Schreckens.

39,13 *die Pression:* der Druck.

39,14 *subtilere:* feinere.

39,30 *Feuermauer:* Brandschutzmauer, um das Übergreifen eines Feuers auf andere Gebäude zu verhindern.

40,4 *mir ... die Adern öffnen:* mich umbringen.
40,23 *rotieren:* sich zudrehen.
41,5 *ehernem Stichel:* aus Erz gemachtem Werkzeug.
42,4 *Steenookerzeel:* Steenokkerzeel. In dieser 12 km südwestlich von Brüssel gelegenen Kleinstadt hielt sich die österreichische Ex-Kaiserin Zita, Gattin des letzten österreichischen Kaisers Karl I. (1916–1918), ab 1929 auf. 1939 flüchtete sie vor den Nationalsozialisten nach Portugal und 1940 in die USA.
43,19 *Rekapitulieren:* Wiederholen.
44,10 *Dutzend:* 12, hier: einige.
45,4 *zwölf Menschen:* wie die Jünger und Jesus ohne Judas?
50,6 *Schachrepetitorium:* Übungsbuch für Schachspieler, die darin aufgezeichnete Verläufe von Schachpartien nachvollziehen und davon lernen können. Eine Identifizierung des Bandes (150 Partien in handlicher Größe) ist nicht gelungen.
50,20 *a1 – a2:* eigentlich sinnloser Zug (Turm?); vermutlich gemeint war a2 – a3 (als ungewöhnlicher Zug mit dem Bauern), wie auch die Fischer-Ausgabe änderte.
52,15 *Gallert:* durchsichtige, puddingartige Masse.
52,20 *Agilität:* Beweglichkeit.
52,26 *Ripostierens:* ein Schachzug, der unmittelbar nach dem Zug des Gegners vorgenommen wird, um das Tempo des Spiels sowie den Druck auf den Gegner zu erhöhen.
53,1 *Aljechin, ... Bogoljubow, Tartakower:* vgl. Anmerkung zu 26,25.
53,4 *Exerzitien:* Übungen.
53,29 f. *klöppelte sich ... ab:* spulte sich ab (vgl. klöppeln, Technik zur Herstellung wertvoller Spitze).
54,28 *Doppeldenken:* tatsächlich ist dies eine gängige Spielpraxis, immer die Züge und die möglichen Taktiken des Gegners mitzubedenken.
55,7 *Marasmus:* Kräfteschwund.
55,24 *Nonsens:* Unsinn.
56,22 f. *abstrusen:* absurden, sonderbaren.
57,1 f. *exercitium mentalis:* geistige Übung.
57,15 *Peripetien:* Peripetie: der Umschwung.

58,8 *manische:* vgl. Anm. zu 58,28.
58,28 *Manie:* eine Fixierung auf nur einen Gedanken oder eine Tätigkeit.
frenetische: stürmische.
59,6 *konzis:* genau.
59,8 f. *konfus:* verwirrt.
60,11 *pathologische:* Pathologie: Lehre von den Krankheiten, hier: krankhaft.
62,3 *ekstatischer:* erregter.
64,5 *Sensorium:* Wahrnehmungsapparat.
64,14 *denn Hitler hatte ... Böhmen besetzt:* im März 1939.
Böhmen: am 15. und 16. März 1939 marschierten deutsche Truppen in die sog. Rest-Tschechei ein und errichteten das »Reichsprotektorat Böhmen und Mähren«.
65,12 *Chiffren:* hier: Zeichen.
65,13 *Exerzitien:* vgl. Anm. zu 53,4.
65,14 *beinernen:* aus Elfenbein oder Knochen, vgl. aber hier 17,5 f.: »hölzern«.
65,25 *zurückmutieren:* zurückverwandeln.
66,25 *intrigiert:* hier: beschäftigt, gefesselt.
posthume: fälschlich für postum, aus lat. *posterus* ›nachfolgend‹, d. h. nach dem Tode (nach lat. *humare ›beerdigen‹*).
67,14 *Manie:* vgl. Anm. zu 58,28.
67,26 *obligaten:* gebotenen, üblichen.
67,27 f. *homo obscurissimus:* ein völlig unbekannter Mensch.
68,7 *Habitus:* Haltung.
68,14 *Dilettant:* hier: Amateur.
68,27 *Vorhand:* Vorteil (nach engl. *forehand*).
68,31–69,1 *Ornament:* hier: Muster.
69,24 *ripostierte:* vgl. Anm. zu 52,26.
69,25 *rapid:* schnell.
70,31 *Nüstern:* vgl. Anm. zu 24,25.
71,27 f. *alle Figuren ... vom Brett:* üblich ist es, zum Zeichen der Niederlage den eigenen König flach auf das Spielbrett zu legen. Es ist unklar, ob es sich hier um einen Fehler oder um ein bewusst

angelegtes Motiv handelt, das die Erschütterung Czentowics illustrieren soll.

72,4 *Anonymus:* ein Namenloser.
Ignotus: ein Unbekannter.

74,14 *achten Zug:* bei 10 Minuten Zugzeit und zwei Spielern also nach 160 Minuten.

74,30 *versteinte:* versteinerte.

77,21 *Damned fool:* Verdammter Narr, verfluchter Trottel.

77,26 *disponiert:* angelegt.
Dilettanten: vgl. Anm. zu 68,14.

Literaturhinweise

Schachnovelle

Erste Ausgabe:

Zweig, Stefan: A Partida de Xadrez. In: Stefan Zweig: As Três Paixões. Três novelas. Tradução de Odilon Gallotti e Elias Davidovich. Rio de Janeiro: Editora Guanabara, 1942. S. 11–106.

Erste deutsche Ausgaben:

Zweig, Stefan: Schachnovelle. Buenos Aires: Pigmalión, 1942. (250 nummerierte Exemplare.)

Zweig, Stefan: Schachnovelle. Buenos Aires: Verlag Janos Peter Kramer, 1942. (50 Exemplare mit römischer Nummerierung.)

Zweig, Stefan: Schachnovelle. Stockholm: Bermann-Fischer, 1943.

Die Ausgabe in der Reihe »Stefan Zweig – Gesammelte Werke«:

Zweig, Stefan: Schachnovelle. In: Stefan Zweig: Buchmendel. Erzählungen. Hrsg. von Knut Beck. Frankfurt a. M.: S. Fischer, 1990. (= Stefan Zweig. Gesammelte Werke in Einzelbänden.)

Die Angaben zu weiteren Ausgaben und zu den Übersetzungen der *Schachnovelle* findet man in der Stefan-Zweig-Bibliographie von Randolph Klawiter (*Stefan Zweig. An International Bibliography*, Riverside, California: Ariadne Press, 1991; Addendum I: 1999), die inzwischen auch im Internet zugänglich ist:

http://zweig.fredonia.edu/index.php?title=Schachnovelle

Werke

Zweig, Stefan: Gesammelte Werke in Einzelbänden. Hrsg. von Knut Beck. Frankfurt a. M.: S. Fischer, 1981 ff.

In verschiedenen Taschenbüchern des S. Fischer Verlages wurden auch ausgewählte Texte von Zweigs Publizistik veröffentlicht, die in der Ausgabe der »Gesammelten Werke in Einzelbänden« nicht enthalten sind.

Zweig, Stefan: Briefe 1897–1942. Auswahl in vier Bänden. Hrsg. von Knut Beck, Jeffrey B. Berlin und Natascha Weschenbach-Feggeler. Frankfurt a. M.: S. Fischer, 1995 ff.

Zweig, Stefan und Joseph Roth: »Jede Freundschaft mit mir ist verderblich!« Joseph Roth und Stefan Zweig – Briefwechsel 1927–1938. Hrsg. von Madeleine Rietra und Rainer Joachim Siegel. Göttingen: Wallstein, 2011.

Zweig, Stefan und Friderike Zweig: »Wenn einen Augenblick die Wolken weichen«. Briefwechsel 1912–1942. Hrsg. von Jeffrey B. Berlin und Gert Kerschbaumer. Frankfurt a. M.: S. Fischer, 2006.

Zum Autor

Arens, Hanns (Hrsg.): Der große Europäer Stefan Zweig. Frankfurt a. M. 1981.

Dines, Alberto: Tod im Paradies. Die Tragödie des Stefan Zweig. Frankfurt a. M. / Wien / Zürich 2006.

Kerschbaumer, Gert: Stefan Zweig. Der fliegende Salzburger. Salzburg 2003.

Matuschek, Oliver: Stefan Zweig. Drei Leben. Frankfurt a. M. 2006.

Prater, Donald A.: Stefan Zweig. Das Leben eines Ungeduldigen. Aus dem Engl. von Annelie Hohenemser. München 1981.

– / Volker Michels: Stefan Zweig. Leben und Werk in Bildern. Frankfurt a. M. 1981.

Renoldner, Klemens / Peter Karlhuber / Hildemar Holl (Hrsg.): Für ein Europa des Geistes. Katalog zur Stefan Zweig Ausstellung der Stadt Salzburg. Salzburg 1992.

– / – / – (Hrsg.): Stefan Zweig – Bilder, Texte, Dokumente. Salzburg 1993.

Sekundärliteratur zur *Schachnovelle*

Aumüller, Matthias: »Von allen ist gesprochen, nur von ihm nicht, der mir die Sprache gab und in dessen Atem ich rede«. Stefan Zweigs unzuverlässige Erzähler und die Poetik der Moderne. In: Euphorion 110 (2016) S. 497–516.

Beck, Knut: Clarissa. In: Schwamborn 1999. S. 183–197.

Berkes, Kai: Nihilistische Freude am »Unmöglichen«. Sebastian Haffners ›Geschichte eines Deutschen‹ und Stefan Zweigs ›Schachnovelle‹ wollen den »Wahnsinn« begreifen. In: Text und Wahrheit. Frankfurt a. M. 2004. S. 153–166.

Berlin, Jeffrey B.: Briefe aus Brasilien: Stefan Zweigs *Schachnovelle*. In: Schwamborn 1999. S. 245–264.

– »... habe eine kleine *Schachnovelle* entworfen«. Stefan Zweigs Briefe und die Entstehung seines letzten Werks. In: 65 Jahre Schachnovelle. Hrsg. von Susanne Poldauf und Andreas Saremba. Emanuel Lasker-Gesellschaft. Berlin 2007. (Marginalia. Randbemerkungen zur Geschichte und Kultur des Schachspiels. Bd. 1.) S. 40–56.

– Lebendige Dichtung – Stefan Zweigs *Schachnovelle* – Betrachtungen zur Entstehungsgeschichte und zum Leseerlebnis unter Berücksichtigung unveröffentlichter Korrespondenzen. In: Schönle, Siegfried (Hrsg.): Festschrift für Egbert Meissenburg. Schachforschungen. Wien 2009. S. 42–127.

Blum, Brunhilde: Stefan Zweigs Briefe an seinen brasilianischen Verleger Abrahão Koogan von 1932–1942. Vollständiger Abdruck mit Anmerkungen und einem Exkurs über das Brasilienbild des Autors. Phil. Dipl.-Arb. Innsbruck 1985.

– Stefan Zweigs Briefe an seinen brasilianischen Verleger Abraão Koogan. In: Schwamborn 1999. S. 119–136.

Brode, Hanspeter: Mirko Czentovic – ein Hitlerporträt? Zur zeithistorischen Substanz von Stefan Zweigs *Schachnovelle*. In: Schwamborn 1999. S. 223–227.

Brügge, Joachim: Stefan Zweig, C. G. Jung und die Kulturgeschichte des Schachspiels – vom indischen Tschaturanga zur modernen Alchimie des 20. Jahrhunderts? In: J. B. (Hrsg.): Das Buch als Eingang zur Welt. Würzburg 2008. S. 97–108. (Schriftenreihe des Stefan Zweig Centre Salzburg. Bd. 1.)

Chédin, Renate: Stefan Zweig – *Le joueur d'échecs*. 40 questions, 40 réponses, 4 études. Paris 2001.

Daviau, Donald / Harvey I. Dunkle: Stefan Zweigs *Schachnovelle*. In: Monatshefte 65 (Wisconsin 1973) S. 370–384.

Dines, Alberto: Eine Schachpartie. In: Alberto Dines. Tod im Paradies. Die Tragödie des Stefan Zweig. Frankfurt a. M. / Wien / Zürich 2006. S. 503–580.

Dirscherl, Margit / Laura Schütz (Hrsg): Schachnovelle. Stefan Zweigs letztes Werk neu gelesen. Würzburg 2019. [Symposium aus Anlass von 75 Jahre Schachnovelle, Literaturhaus und LMU München, 2017.] (Schriftenreihe des Stefan Zweig Centre Salzburg. Bd. 11.)

Douglas, D. B.: The humanist gambit. A study of Stefan Zweig's *Schachnovelle*. In: Journal of the Australasian Universities Language and Literature Association 53 (1980) S. 17–24.

Fischer, Johannes: Ein symbolischer Rückzug. Kritische Anmerkungen zu Stefan Zweigs *Schachnovelle*. In: KARL – das kulturelle Schachmagazin, 20. April 2002. – Vgl. www.karlonline.org/kol003.htm

Fliedl, Konstanze: Jüdisches Schach. Zweigs Novelle im Kontext völkischer Propaganda. In Mark H. Gelber / Elisabeth Erdem / Klemens Renoldner (Hrsg.): Stefan Zweig – Jüdische Relationen. Studien zu Werk und Biographie. Würzburg 2017. S. 175–187. (Schriftenreihe des Stefan Zweig Centre Salzburg. Bd. 7.)

Freund-Spork, Walburga: Erläuterungen zur *Schachnovelle*. Hollfeld 2004.

Fricke, Hannes: »Still zu verschwinden, und auf würdige Weise.« Traumaschema und Ausweglosigkeit in Stefan Zweigs *Schachnovelle*. In: Zeitschrift für Psychotraumatologie und Psychologische Medizin 4 (2006) H. 2. S. 41–55.

Fuchs, Barbara: Das Schachspiel im Spiegel der Literatur: Lewis Carrolls *Alice hinter den Spiegeln*, Stefan Zweigs *Schachnovelle* und Ingeborg Bachmanns *Malina* im Kontext moderner Spieltheorie. Dipl. Arb. Wien 2006.

Giudice, Daniele Del: Il cliento nuovo (= Prefazione). In: Stefan Zweig: *Novella degli scacchi*. Romanzo. Mailand 1991. S. 7–14.
Görner, Rüdiger: Stefan Zweig als Erzähler. In: Görner, Rüdiger: Stefan Zweig. Formen einer Sprachkunst. Wien 2012. S. 108–131.
Große, Wilhelm: Stefan Zweig. Die *Schachnovelle*. Kommentare, Diskussionsaspekte und Anregungen für den Unterricht. Hollfeld 2007.
Hobek, Friedrich W.: Erläuterungen zu Stefan Zweig, *Schachnovelle*. Hollfeld 1993.
Holländer, Hans: Reflexionen. Ein Text und seine Bilder (Über die Illustrationen zur *Schachnovelle*). In: 65 Jahre *Schachnovelle*. Hrsg. von Susanne Poldauf und Andreas Saremba. Emanuel Lasker-Gesellschaft. Berlin 2007. (Marginalia. Randbemerkungen zur Geschichte und Kultur des Schachspiels. Bd. 1.) S. 29–39.
Kerschbaumer, Gert: Stefan Zweigs *Schachnovelle*: seine Identitäts- und Existenzkrise. In: Stefan Zweig und Europa. Hrsg. von Mark H. Gelber und Anna-Dorothea Ludewig. Hildesheim / Zürich / New York 2011. S. 220–230.
Kiefer, Sascha: Die Welt in Schwarz-Weiß? Stefan Zweigs Schachnovelle (1942). In: Stefanie Kreuzer (Hrsg.): Klassiker österreichischer Literatur. Eine ›Literaturgeschichte‹ in Einzelanalysen vom 19. bis 21. Jahrhundert. Paderborn 2019 [in Vorbereitung].
Klamper, Elisabeth: Vom Luxushotel zur Gestapo-Leitstelle Wien. Zur Geschichte des Hauses am Morzinplatz 4. In: »Ich gehöre nirgends mehr hin!« Stefan Zweigs Schachnovelle – Eine Geschichte aus dem Exil. Hrsg. von Klemens Renoldner / Peter Karlhuber. Salzburg 2017. S. 29–43.
Klüger, Ruth: Selbstverhängte Einzelhaft. Die *Schachnovelle* und ihre Vorgänger. In: Stefan Zweig. Abschied von Europa. Hrsg. von Klemens Renoldner. Wien 2014. S. 105–122.
Koch, Hans Albrecht: Ästhetischer Widerstand oder politischer Eskapismus? Vom Erasmus-Buch zur *Schachnovelle*. In: Stefan Zweig im Zeitgeschehen des 20. Jahrhunderts. Hrsg. von Thomas Eicher. Oberhausen 2003. S. 43–58.

Kolb, Sonja: Stefan Zweig – *Schachnovelle.* Eine Analyse und Interpretation. München 2004.
Kugler, Stefani: Den Irrsinn in Schach halten – Zur literarischen Auseinandersetzung mit totaler Herrschaft in Stefan Zweigs Schachnovelle. In: Grenzen & Gestaltung. Figuren der Unterscheidung und Überschreitung in Literatur und Sprache. Festschrift für Georg Guntermann zum 65. Geburtstag. Hrsg. von Nikolas Immer / Stefani Kugler / Nikolaus Ruge. Trier 2015. S. 169–180.
Küpper, Achim: Der Sturz ins Leere: Die Dämonie von Verlassenheit und Fremde in den Erzählungen Stefan Zweigs. In: Birk/Eicher (Hrsg): Stefan Zweig und das Dämonische. Hrsg. von Matjaz Birk und Thomas Eicher. Würzburg 2008. S. 215–235.
Landthaler, Bruno: Das »göttliche« Schach. Die *Schachnovelle* von Stefan Zweig. In: Menora, Jahrbuch für deutsch-jüdische Geschichte 1996. S. 250–264.
– / Hanna Liss: Der Konflikt des Bileam. Irreführungen in der ›Schachnovelle‹ von Stefan Zweig. In: Zeitschrift für Germanistik (1996) H. 2. S. 384/398.
Langbehn, Regula Rohland de: *Schachnovelle*: Der feindliche Andere. In: Schwamborn 1999. S. 219–222.
Langlois, Annick: Stefan Zweig *Schachnovelle – Le joueur d'échecs* Pour le choix du vocabulaire et sa traduction de l'allemand. Saint-Germain-en-Laye 1983.
Łatciak, Małgorzata: Die Charakteristik der Gestalten in den Novellen Stefan Zweigs ›Der Amokläufer‹, ›Der Brief einer Unbekannten‹ und ›Die Schachnovelle‹ unter der Berücksichtigung der Bauform dieser Werke. In: Studia niemcoznawcze. Warszawa 2009. Bd. 23. S. 491–505.
Lembke, Gerrit: Raum, Zeit und Handlung in Stefan Zweigs ›Schachnovelle‹. In: Literatur in Wissenschaft und Unterricht 42 (2009) S. 225–236.
Lipburger, Peter M.: Stefan Zweigs *Schachnovelle.* Ihre Analyse und Interpretation, nebst einem Exkurs über Stefan Zweig in Salzburger Tageszeitungen (1919–1934). Phil. Diss. Salzburg 1977.

Meissenburg, Egbert: 40 Jahre *Schachnovelle* von Stefan Zweig. Winsen an der Luhe 1982.
– Ein Buch! Ein Buch! Ein BUCH! Zu Stefan Zweigs *Schachnovelle.* Börsenblatt für den deutschen Buchhandel 34 (28. April 1995) S. A121–A124.
– Stefan Zweig: *Schachnovelle.* Bibliographie ihrer Übersetzungen (Erstausgaben) in nichtdeutsche Sprachen. Seevetal 2002.
– Stefan Zweig Schachspieler. In: 65 Jahre *Schachnovelle.* Hrsg. von Susanne Poldauf und Andreas Saremba. Emanuel Lasker-Gesellschaft. Berlin 2007. (Marginalia. Randbemerkungen zur Geschichte und Kultur des Schachspiels. Bd. 1.) S. 20–28.
Metsch, Gerhard: Briefe aus Petrópolis. In: Schwamborn 1999. S. 51–66.
Miranda Leao, Luiz Geraldo de: Stefan Zweig, das Schach und ein Remis. Tartakowers 13. Partie. In: Schwamborn 1999. S. 297–305.
Murdoch, Brian: Game, Image and Ambiguity in Stefan Zweig's *Schachnovelle.* In: New German Studies 11/3 (1983) S. 171–189.
Najdorf, Miguel / Erich Eliskases: Antworten zweier Schachgroßmeister. In: Schwamborn 1999. S. 307–313.
Neubauer, Martin: Stefan Zweig, *Schachnovelle.* Stuttgart 2006.
Oltermann, Philipp: Endgames in a »hypermodern« age. Stefan Zweig's ›Schachnovelle‹ reconsidered. In: KulturPoetik. Zeitschrift für kulturgeschichtliche Literaturwissenschaft (2008) H. 2. S. 170–186.
Poldauf, Susanna / Andreas Saremba (Hrsg.): 65 Jahre *Schachnovelle.* Berlin 2007. (Marginalia. Randbemerkungen zur Geschichte und Kultur des Schachspiels. Bd. 1.)
Poppe, Reiner: Stefan Zweig *Schachnovelle.* Mit Materialien und Anregungen zum Literaturunterricht. Hollfeld [2]2007. (Analysen und Reflexionen. Nr. 66.)
Ravilius, Chris: Stefan Zweig's *Chess Novella.* A new approach to *The Royal Game.* In: Schönle, S.: Festschrift für Egbert Meissenburg. Schachforschungen. Wien 2009. S. 749–765.
Rehder, Elke: Anmerkungen zur Schachnovelle von Stefan Zweig. In: Aus dem Antiquariat. Neue Folge 12 (2014) Nr. 6, S. 273–279.

Renoldner, Klemens: Abschied von Salzburg. In: Stefan Zweigs Schachnovelle – Eine Geschichte aus dem Exil. Hrsg. von Klemens Renoldner / Peter Karlhuber. Salzburg 2017. S. 9–17.

Rimpau, Laetitia: Unerhörter Sieg des Unterlegenen. Zu den Schachnovellen von Franco Sacchetti / Arrigo Boito / Stefan Zweig. In: Spiel und Ernst: Formen – Poetiken – Zuschreibungen. Hrsg. von Dirk Kretzschmar [u. a.]. Würzburg 2014. (Literatura. Wissenschaftliche Beiträge zur Moderne und ihrer Geschichte. 31.) S. 287–328.

Sahre, Monika: Stefan Zweig – Die *Schachnovelle.* Modelle für den Literaturunterricht, 5.–10. Jahrgangsstufe 9/10. München 2003.

Schönle, Siegfried: Die Warburger Ausstellung im Museum im »Stern« zur *Schachnovelle* von Stefan Zweig. Ein künstlerisches und bibliophiles Ereignis. In: Rochade Europa 3 (1996) S. 13.

– Klein, aber oho! Die *Schachnovelle* und ihre Rezeption. In: 65 Jahre *Schachnovelle.* Hrsg. von Susanne Poldauf und Andreas Saremba. Emanuel Lasker-Gesellschaft. Berlin 2007. (Marginalia. Randbemerkungen zur Geschichte und Kultur des Schachspiels. Bd. 1.) S. 7–19.

– Ursprüngliche Typoskripte der *Schachnovelle.* In: ders.: Festschrift für Egbert Meissenburg. Schachforschungen. Wien 2009. S. 749–765.

– Sechs Illustratoren, ein Text – *Schachnovelle.* In: KARL. Das kulturelle Schachmagazin 1 (2010) S. 26–31.

Schwamborn, Ingrid: Schachmatt im brasilianischen Paradies. Die Entstehungsgeschichte der *Schachnovelle.* In: Germanisch-Romanische Monatsschrift. Neue Folge 34 (1984) Nr. 4. S. 404–430.

– Die letzte Partie. Stefan Zweigs Leben und Werk in Brasilien (1932–1942). Bielefeld 1999.

– Ein Gespräch mit »Dr. B.« In: Schwamborn 1999. S. 315–321.

– Aspekte des Spiels in *Schachnovelle.* In: Schwamborn 1999. S. 265–296.

Selden-Goth, Gisella (Hrsg.): Stefan Zweig – Unbekannte Briefe aus der Emigration an eine Freundin. Wien/Stuttgart/Basel 1964.

Siegel, Rainer-Joachim: Die deutschen Erstausgaben von *Schachnovelle* in Argentinien. In: Schwamborn 1999. S. 215–218.

Sørensen, Bengt Algot: Stefan Zweig: Schachnovelle. In: Interpretationen. Erzählungen des 20. Jahrhunderts. Bd. 1. Stuttgart 2007 (Reclams Universal-Bibliothek. 9462.). S. 250–264.

Strigl, Daniela: Schach und andere Leidenschaften. Oder: Stefan Zweigs Liebe zur Niederlage. In: Stefan Zweig. Abschied von Europa. Hrsg. von Klemens Renoldner. Wien 2014. S. 123–135.

Strouhal, Ernst: »... das eigentliche Genie dieser Stadt.« Stefan Zweig, das Schachspiel und der Verlust des Kosmopolitischen. In: »Ich gehöre nirgends mehr hin!« Stefan Zweigs Schachnovelle – Eine Geschichte aus dem Exil. Hrsg. von Klemens Renoldner / Peter Karlhuber. Salzburg 2017. S. 19–27. [Überarbeitete Version eines Aufsatzes von 2007.]

Tiesset, Irène / Jean-Luc Tiesset (Hrsg.): Stefan Zweig *Schachnovelle.* (Le joueur d'échecs) Annotations par Irène et Jean-Luc Tiesset. Paris 1991. (Lire en Allemand. Collection dirigée par Henri Yvinec.)

Trommler, Frank: Selbstrettung durch Isolation? Stefan Zweigs Kampf mit der Isolation. In: Die Wiederholung. Festschrift für Thomas Koebner zum 60. Geburtstag. Hrsg. von Jürgen Felix. Marburg 2001. S. 227–237.

Tuercke, Berthold: Der Aufzwang. Eine Kammeroper nach *Schachnovelle* und anderen Texten von Stefan Zweig. In: Schwamborn 1999. S. 209–213.

Tunner, Erika: La représentation hallucinatoire dans trois nouvelles de Stefan Zweig. *La collection invisible* (›Die unsichtbare Sammlung‹), *Le bouquiniste Mendel* (›Buchmendel‹) et *Le joueur d'échecs* (›Die Schachnovelle‹). In: La représentation tenue en lisière le verbe: miroir du monde. Actes du colloque du 30 novembre 2005. Arras 2009. S. 139–152.

Unseld, Siegfried: Das Spiel vom Schach. Stefan Zweigs *Schachnovelle.* In: Schwamborn 1999. S. 229–244.

Veselý, Jiří: Das Schachspiel in der *Schachnovelle.* Österreich in Geschichte und Literatur 13 (1969) S. 517–523.

Vöhringer, Eva Maria: »La variante di Lüneburg« di Paolo Maurensig. Una riposta a distanza alla ›Schachnovelle‹ di Stefan Zweig. In: Ol-

treconfine. Lingue e culture tra Europa e mondo. A cura di Antonio Pasinato. Cirigliano Calabro 2000. S. 187–197.
Wittkowski, Victor: Erinnerungen an Stefan Zweig in Brasilien. In: ders.: Ewige Erinnerung. Rom 1960. S. 61–126.

Internet-Ausstellung zu Stefan Zweigs *Schachnovelle:*
www.lasker-gesellschaft.de/schachnovelle/ausstellung.html

Nachwort

»Wir, die wir jenseits der Gestapo sitzen …«
Stefan Zweig in einem Brief an
Gisella Selden-Goth, Sommer 1940

1. Das letzte abgeschlossene Werk Stefan Zweigs

Als Stefan Zweig in der Nacht von Sonntag 22. auf Montag 23. Februar 1942, drei Monate nach seinem 60. Geburtstag, gemeinsam mit seiner zweiten Ehefrau Lotte, in Petrópolis, im brasilianischen Exil, seinem Leben ein Ende setzte, hinterließ er mehrere unvollendete Manuskripte. Die letzten Korrekturen in der Reinschrift seiner Erzählung *Schachnovelle*, die ihr Verfasser, wie er in einem Brief vom 15. Januar 1942 bekannte, zärtlich ans Herz drücken möchte, erledigte Zweig in den Tagen vor seinem Suizid.

Letzte Werke, meist überschattet von den besonderen Umständen des Künstlertodes, genießen häufig außergewöhnliche Aufmerksamkeit. Viele Fragen tun sich auf, die bei den vorangegangenen Werken des Künstlers irrelevant erscheinen: In welchem Verhältnis steht das letzte zu den früheren Werken? Ist es wirklich vollendet, oder hat es fragmentarische Züge? Weist es Kennzeichen einer besonderen formalen Erneuerung auf, erweitert es das bisherige ästhetische Repertoire oder muss man es epigonal nennen? Ist der Künstler im Vollbesitz seiner Kräfte gewesen, oder handelt es sich um ein schwächelndes Alterswerk?

Die Anerkennung, die die *Schachnovelle* sowohl in der zeitgenössischen Rezeption als auch in der heutigen Wahrnehmung vom Lesepublikum und im literaturwissenschaftlichen Diskurs erfährt, berechtigt zu der Annahme, wir haben es mit einem bedeutenden Werk Zweigs zu tun. Zuletzt sprach Rüdiger Görner von einem »Glücksfall ausgereifter Erzählkunst«,[1] und in diesem Sinne haben sich, seit der Veröffentlichung der *Schachnovelle*, zahlreiche Schriftsteller und Literaturwissenschaftler erklärt.

Bedeutend ist die Erzählung aber keineswegs nur deswegen, weil Zweigs Stil – im Vergleich mit seinen früheren Prosatexten – nüchterner ausgefallen ist, weil sie als Novelle ideal konzipiert ist und das Schachspiel in ihr eine so dramatische Rolle spielt. Zweig macht aus der brasilianischen Entfernung die Auslöschung Österreichs durch Hitlers Soldaten zum Thema. Weil er in den letzten Wochen vor seinem Tod noch einmal von der Zertrümmerung und vom Verlust seiner Heimat berichtet, kann man davon sprechen, dass er mit der *Schachnovelle* auch ein persönliches Vermächtnis niedergeschrieben hat: »Sie wissen, wie ermüdet ich vom Leben war, seit ich mein Vaterland, Österreich, verloren habe. Ich konnte das wahre Leben nicht mehr in meiner Arbeit wiederfinden«,[2] schreibt Stefan Zweig im ersten der beiden Abschiedsbriefe an Abrãho Koogan am 18. Februar 1942.

Die *Schachnovelle* ist ein letzter ohnmächtiger Versuch einer Rückversicherung mit der eigenen Heimat, die Zweig verloren hatte. In seinen Briefen der letzten eineinhalb Lebensjahre ist zu lesen, wie oft der gewählte Aufenthaltsort sofort wieder in Frage gestellt wird. Seit Lotte und Stefan Zweig im Juli 1940 England verlassen haben, beherrschen ihn oft täglich wechselnde Phantasien, wo er sich eine neue

1 Görner, 2012, S. 127.

2 Zweig, Briefe IV, S. 338.

Stefan Zweig an Bord des Dampfschiffes S. S. Uruguay auf seiner letzten Reise von New York nach Rio de Janeiro, 15.–27. August 1941.

Heimat finden könnte. Es gelingt ihm nicht, auch Petrópolis bleibt für ihn trotz unbegrenzter Aufenthaltserlaubnis und relativer finanzieller Sicherheit nur ein Provisorium. Schon am 1. Mai 1936 äußerte er in einem Brief an Joseph Roth: »Ich habe Angst um Österreich und der Fall Österreichs wäre auch innerlich unser Untergang.«[3]

Sowohl in seinem Vortrag »Das Wien von Gestern«, den Zweig am 26. April 1940 in Paris im Théâtre Marigny gehalten hatte, als auch in seinen Erinnerungen mit dem davon abgewandelten Titel *Die Welt von Gestern* wirft er einen letzten Blick auf Österreich. Der Blick sei großbürgerlich beschränkt und politisch inkompetent, das Buch sei nostalgisch und verklärend, hatten einige seiner Kritiker befunden. Doch wird man damit dem verzweifelten Flüchtling keineswegs gerecht. Zweigs Verhältnis zu Wien und Österreich war oft schwierig, aber im Moment des Verlustes leuchtet Österreich als Heimatbild noch einmal auf.

An seinen Freund, den Wiener Schriftsteller Felix Braun, schrieb Zweig schon im Juli 1938: »An den Zusammenbruch [des Dritten Reichs] in Deutschland zu glauben ist Irrwitz … Haben wir doch den Mut, uns zuzugestehen, daß wir (nicht minder als unsere Ideale) etwas Erledigtes, etwas Historisches sind.«[4] Und in einem Entwurf zur Einleitung für *Die Welt von Gestern* aus dem Frühjahr 1939 heißt es: »Ich bin 1881 in einem Lande geboren, das nicht mehr existiert, in der grossen, fast ein Jahrtausendalten Habsburgischen Monarchie … und habe sie sterben gesehen. Ich bin in Wien erzogen worden, in der Hauptstadt

3 Briefwechsel Zweig-Roth, 2011, S. 309.

4 Prater, 1981, S. 374.

der Cultur und habe sie verlassen, ehe sie degradiert wurde zur deutschen Provinzstadt.«[5]

Entsprechend ruft Zweig in seiner letzten Erzählung noch einmal Bilder jener für immer verlorenen Welt und damit das Wien seiner Kindheit und Jugend auf. Die Schiffsreise, Symbol und Synonym für das ungewisse Lebensgeschick, ist gleichzeitig auch ein Bild der Ort- und Heimatlosigkeit; heimatlos sind jene, »die sich an Bord befinden, denn die haben im wahrsten Sinne des Wortes das Land, den Boden unter den Füßen verloren«.[6] Zweig hat mehrere solcher Atlantik-Überquerungen, von West nach Ost, von Nord nach Süd, und umgekehrt unternommen.

Also gilt es in der *Schachnovelle* noch ein letztes Mal heimatliche Konnotationen herzustellen. Noch einmal Österreich, noch einmal Wien, der alte Kaiser und sein Leibarzt, Franz Schubert, das barocke Kloster Seitenstetten in Niederösterreich. Aber nicht Verklärung ist hier am Werk, denn die neuesten politischen Umstände sind erschütternd: Hitlers Soldaten haben das Land besetzt, Österreich hat aufgehört zu existieren, und jeder, der den Nationalsozialisten missfällt oder sich gar gegen sie auflehnt, muss mit dem Tod oder mindestens mit seiner Verhaftung rechnen. Wenn die »Welt von Gestern« überrannt wurde und die Gestapo aus dem einst mondänen Wiener Innenstadt-Hotel »Métropole« einen Ort der Folter und Gewalt machen kann, dann bleiben einem nur die Flucht in die Neue Welt, das Abbrechen der Brücken und die Bilder der Erinnerung.

5 Renoldner, 1992, S. 8.
6 Neubauer, 2006, S. 25.

Man würde die Erzählung aber falsch verstehen, wenn man sie als Kommentar zur österreichischen Politik, wie ein Statement zur Zeit oder wie einen politischen Essay lesen und entsprechend befragen würde. Auch ist es müßig, angesichts dieser Erzählung über Kraft oder Schwäche des österreichischen Widerstands nachzudenken. Er ist zweifellos nicht Thema der Novelle: Derjenige, der sich darüber informieren möchte, wie Zweig über die Ausschaltung der Demokratie, über den Austrofaschismus, die Aktivitäten der »illegalen« Nazis und den aggressiver werdenden Antisemitismus in Österreich gedacht, wie sehr er die österreichischen Politiker dieser Jahre verachtet hat, der kann dies in Zweigs Briefen an seine Freunde nachlesen, z.B. im Briefwechsel mit seinem französischen Freund Romain Rolland, dem besten Dokument über Zweigs Verhältnis zum Politischen.

Andererseits nimmt die *Schachnovelle* innerhalb des Prosawerks von Zweig auch deswegen eine besondere Position ein, weil es seine einzige Erzählung ist, in der der Autor direkt auf die politische Wirklichkeit Österreichs im Jahr 1938 und auf den Terror des Nationalsozialismus Bezug nimmt. Wissend, was den Juden nicht nur in Deutschland, sondern auch in Österreich und in ganz Europa widerfährt, wählte er mit Bedacht nicht einen jüdischen, sondern einen dem Klerus nahestehenden katholischen Anwalt, der der Wiener Aristokratie geneigt war. Dies geschieht nicht, weil Zweig irgendwelche monarchistischen Sehnsüchte hegte, sondern aus Zurückhaltung: Zweig war, was persönliche Anliegen betrifft, ein Mann von äußerster Diskretion und scheute sich, im eigenen Interesse zu sprechen. Zweig, der sich für sehr viele Flüchtlinge aus Europa engagierte (man könnte sagen, er war zeitweise mit nichts anderem beschäftigt) und dabei auch in finanzieller Hinsicht großzügig war, wusste durchaus, dass er sich im Gegensatz zu vielen mittellosen Emigranten vergleichsweise in privilegierter Lage befand.

In diesem Sinne zeugt die *Schachnovelle*, und das macht einen guten Teil ihrer bis heute anhaltenden Wirkung aus, nicht nur von der Erfahrung einer existentiellen Krise, von größter Verzweiflung und Ohnmacht, sondern auch von der befreienden Utopie, von der Überwindung von Terror und Not – obwohl diese Erlösung aus Verzweiflung und Depression für den Autor im realen Leben nicht möglich war. Folgerichtig sprach der englische Zweig-Biograph Donald A. Prater zutreffend von einer Wunschvorstellung Stefan Zweigs: »In der Kraft des österreichischen Anwalts, sich dem Druck der Gestapo zu widersetzen, dürfen wir wohl eine Wunschvorstellung des Autors sehen.«[7]

2. Zur Entstehungsgeschichte der *Schachnovelle*

Die *Schachnovelle* entstand zwischen September 1941 und Februar 1942 in der brasilianischen Stadt Petrópolis, wo Stefan und Lotte Zweig seit dem 17. September ein kleines Haus gemietet hatten. Die Handlung der Erzählung ist frei erfunden, die beiden Hauptfiguren, der Schachweltmeister Czentovic und der Jurist Dr. B., folgen keinen realen Vorbildern. Zweig hatte nicht nur in Briefen, sondern vor allem in den Sommern 1940 und 1941 bei seinen Aufenthalten in New York sehr viele Schicksale von europäischen

7 Prater, 1981, S. 330.

Von Mitte September 1941 bis zu ihrem Tod am 23. Februar 1942 wohnten Lotte und Stefan Zweig in diesem Haus: Rua Gonçalves Dias Nr. 34, Petrópolis, Brasilien.

Emigranten kennengelernt. Seit 1933 gab es Flüchtlinge aus Deutschland, ihre Berichte konnte er schon in seinen englischen Jahren gewissermaßen täglich hören. Auch der Briefwechsel mit seinem Freund Joseph Roth ist ein eindrückliches Dokument des Exils zweier Schriftsteller.

Nach der Besetzung Österreichs durch Hitlers Soldaten im März 1938, nach dem Kriegsbeginn im September 1939 und nach der Besetzung Frankreichs steigt die Zahl der Flüchtlinge aus Europa deutlich an. Auch in den Briefen und bei Begegnungen mit Freunden wird die Flucht aus Europa zum entscheidenden Thema. Es könnte sein, dass einige Berichte über die erfolgreiche Flucht aus Österreich und über Verhöre der Gestapo, von denen Zweig Anfang

September in Rio gehört hatte, den entscheidenden Impuls zum Schreiben der *Schachnovelle* gegeben hatten.[8] Aber wie immer verbindet Zweig auch in dieser Erzählung unterschiedlichste Quellen und Stoffe. Auch Einzelheiten aus den Biographien berühmter Schachspieler, die Zweig in dem Buch *Die hypermoderne Schachpartie* von S. Tartakover (1925) gefunden hatte, gaben ihm wichtige Anregungen.[9]

Wenn gesagt wird, Zweig habe sich in der Figur des Dr. B. selbst porträtiert, so muss man gegen eine solche vorschnelle Gleichsetzung doch einiges zu bedenken geben. So gibt es etwa keine Erzählung von Zweig, in der der Autor eigenes Erleben in direkter Weise verwertet oder dargestellt hätte. Diese Art von Selbstinszenierung hätte seiner Diskretion und überdies auch seiner poetologischen Programmatik widersprochen. Vielmehr verarbeitete er autobiographische Elemente und Episoden gelegentlich in biographisch stark verfremdeten Figuren sowie in grundlegend veränderter Situation. Wie man in mehreren Fällen sehen kann, sind es oft Frauenfiguren, denen der Autor Bruchstücke seiner Erfahrung, seines Denkens einschreibt. Und meist sind es gleichzeitig mehrere Figuren, aus denen man seine Stimme zu vernehmen glaubt.

Man sollte auch bedenken, dass Zweigs Lebensdaten mit jenen des etwa 45jährigen Dr. B. kaum etwas gemein haben. Zu keinem Zeitpunkt seines Lebens sympathisierte Zweig mit der k. u. k. Monarchie. Joseph Roths Vorstellung, Österreich mit Hilfe von Otto von Habsburg und der

8 Vgl. Schwamborn 1999, S. 21f., S. 315 ff., sowie Metsch, 1999, S. 51.
9 Vgl. Fricke, 2006, S. 47.

österreichtreuen monarchistischen Liga vor Hitler retten zu wollen, schien ihm absurd: »Ich habe sehr unter der Atmosphäre in Österreich gelitten. Alles dort ist Lüge und ›Geschäft‹. Die faschistischen Chefs hassen sich gegenseitig, die Angestellten und Beamten treiben ein Doppelspiel, die Armut ist furchtbar. All dieses Geschwätz von ›Altösterreich‹ ist ein Phrasengerüst, niemand glaubt aus reinem Herzen an all diese Proklamationen«, schrieb Zweig schon am 30. August 1934 an Romain Rolland, fünf Wochen nach der Ermordung des österreichischen Bundeskanzlers Dollfuß.[10]

Außerdem ist für Zweig die Figur eines Anwalts ein Funktionär in der realen Welt der Tatsachen, ein Stratege des öffentlichen Lebens und eben kein Künstler. Zweig hatte zudem keinerlei Verbindung zur katholischen Obrigkeit und zur Hocharistokratie Wiens, und er suchte diese auch nicht. Kardinal Innitzer war für Zweig mitschuldig an der Zerstörung Österreichs, und das hätte der Dr. B. der *Schachnovelle* mit Sicherheit anders gesehen. An Romain Rolland schrieb Zweig am 1. Mai 1938 unmissverständlich: »... ich bin stolz, dem Kardinal Innitzer, diesem Verräter, und allen anderen nicht die Stiefel geleckt zu haben.«[11]

Zu guter Letzt ist der Umstand zu beachten, dass Zweig nie verhaftet und auch nie von der Gestapo verhört wurde. So orientierungslos er nach dem Verlassen Europas im Juni 1940 geworden war, so sehr ihn in seinen letzten Lebensjahren schwere Depressionen quälten, so wäre es für ihn undenkbar gewesen, sich so direkt mit einem Opfer der SS

10 Zweig, Briefe IV, S. 489.
11 Ebd., S. 619.

zu vergleichen. Er wusste aus den Berichten aus Europa nur zu genau, welche Torturen Verfolgte des NS-Regimes erleiden mussten, er wusste, was in den Konzentrationslagern geschah. Gestapohaft und KZ sind ihm durch seine frühe Flucht aus Österreich (Februar 1934) und später aus Europa glücklicherweise erspart geblieben.

»Wir, die wir jenseits der Gestapo sitzen«,[12] bemerkte er in einem undatierten Brief an Gisella Selden-Goth im Sommer 1940 aus New York und betrachtete, trotz aller Niedergeschlagenheit, die seine als eine privilegierte Situation. Entsprechend hatte er, wie so viele Emigranten, vermutlich Schuldgefühle: dass er sich retten konnte und keine finanziellen Nöte hatte, während so viele Gleichgesinnte anderes erleiden mussten, verhaftet oder ermordet wurden.

3. Eine Erzählung und ihr Autor

Wie Zweig selbst über seine *Schachnovelle* gedacht hat, ist einigen wenigen Anmerkungen in Briefen an Freunde und Verleger zu entnehmen.[13] So etwa schreibt Zweig am 28. Oktober 1941 in einem Brief an Berthold Viertel, er habe eine »kuriose Novelle entworfen, die Ihnen vielleicht gefiele – eine Schachnovelle mit einer eingebauten Philosophie des Schachs, ich habe sie aber noch nicht abgeschlossen.« Drei Monate später, am 30. Januar 1942, teilt er Viertel

12 Selden-Goth, 1964, S. 65.

13 Die entsprechenden Zitate sind vielfach gesammelt und oft zitiert worden und finden sich etwa in den sich überschneidenden Aufsätzen von J. B. Berlin, 1982, 1999, 2009.

mit, dass er eine »aktuelle lange Kurzgeschichte« geschrieben habe.[14]

Bereits Anfang Januar 1942 hatte Zweig eine vorläufige Fassung der *Schachnovelle* an den schachkundigen Freund Ernst Feder geschickt. Der ehemalige Chefredakteur-Stellvertreter des *Berliner Tageblatt* wohnte seit 1940 in Petrópolis und spielte mit Zweig gelegentlich Schach. Feder sollte in der Erzählung eventuelle Fehler bei der Darstellung des Schachspiels entdecken und korrigieren helfen. Obwohl Feder, wie er nach Zweigs Tod berichtete, dem Verfasser von seiner Lektüre der Rohfassung Bescheid gab, enthält die *Schachnovelle*, wie gewissenhafte Schachfreunde nicht müde werden darzulegen, immer noch mehrere gravierende Fehler und diverse Ungenauigkeiten. Bemerkenswert dabei ist der Umstand, dass sich die Einschätzungen der Schachspezialisten über die denkbaren Korrekturen und Verbesserungen durchaus widersprechen. Daraus folgt, dass sich Zweig zwar, analog zur Arbeit an anderen Manuskripten, gewünscht hatte, alle Fehler, die die Regeln und die Kunst des Schachspiels betreffen, in seinem Typoskript korrigieren zu können. Tatsache ist aber auch, dass dies nicht geschehen ist und wir also mit diesen Fehlern leben müssen.

Wenn man die wenig aussagekräftigen Einschätzungen des Autors nicht aufmerksam studiert, könnte man zu dem irrigen Schluss kommen, Zweig habe die *Schachnovelle* selbst gar nicht geschätzt. Denn einmal ist in den Briefen von einer »symbolischen« Erzählung die Rede, ohne dass wir genau verstehen, von welcher Symbolkraft

14 Berlin, 2009, S. 74.

Stefan Zweig (links) beim Schachspiel mit Emil Fuchs (rechts), seinem langjährigen Salzburger Schachpartner und Freund; Ostende, Juli 1936.

hier die Rede sein könnte. Dann nennt Zweig die *Schachnovelle* »seltsam«, einmal »kurios«, ein anderes Mal sogar »abseitig«.

Wie sehr der Autor seine letzte Erzählung, die für ihn kein literarisches Großprojekt war, dennoch geschätzt hat, zeigt der Brief an Hermann Kesten vom 15. Januar 1942: »Ich habe eine Novelle geschrieben in meinem beliebt-unglücklichen Format, zu groß für eine Zeitung und ein Magazin, zu klein für ein Buch, zu abstrakt für das große Publikum, zu abseitig in seinem Thema. Aber Sie wissen ja, dass Mütter ihre einerseits schwächlichen, andererseits begabten Kinder am zärtlichsten ans Herz drücken.«[15]

15 Berlin, 1982, S. 274.

Die *Schachnovelle*, ein begabtes Kind, zärtlichst ans Herz zu drücken – das empfahl Zweig in einem Brief auch seinem amerikanischen Verleger Ben W. Huebsch. Er könne, schreibt Zweig am 16. Januar 1942, mit der *Schachnovelle* eine »separate edition« für einen »club of bibliophiles«[16] herausbringen. Auch in früheren Briefen an den Leiter des Leipziger Insel-Verlages, Anton Kippenberg, formuliert Zweig mehrmals Bedenken wegen der Aufnahme beim breiteren Publikum und fordert den Verlag auf, er solle keine zu hohen Auflagen drucken, weil das Interesse des Publikums nicht sehr groß sein werde. Meist täuschte sich der Autor mit diesen Einschätzungen. So hätte er niemals vermutet, dass sein Buch *Sternstunden der Menschheit* (1927), die großen Essaybände und vor allem *Joseph Fouché – Bildnis eines politischen Menschen* (1929) internationale Bestseller werden könnten.

Entsprechend muss man den Hinweis als Bescheidenheits-Topos verstehen, wenn Zweig über die hinterlassenen Manuskripte im letzten Brief an Victor Wittkowski sagt: »… ich glaube nicht an eine große Fortwirkung dieser Sachen, es ist nur ein Aufbewahrungsinstinkt, eine Sentimentalität.«[17]

Auch im Fall der *Schachnovelle* bedeutet der Hinweis für seinen amerikanischen Verleger keineswegs, dass Zweig seine letzte große Erzählung ausschließlich für bibliophile Freunde bestimmt wissen wollte. Zweig legte auch bei seinen Büchern im Insel-Verlag großen Wert darauf, dass von ihnen, zusätzlich zur normalen Buchausgabe, exklusive

16 Berlin, 2009, S. 91.
17 Wittkowski, 1960, S. 126.

Passfotos von Stefan Zweig, aufgenommen in einem Fotostudio in London, Frühjahr 1940.

Sondereditionen gedruckt wurden. Zweigs Phantasien in bezug auf derartige Luxusausgaben waren raffiniert, man denke nur daran, dass er sogar von den extra billig angebotenen Bändchen der *Insel-Bücherei* in weiches Leder gebundene Ausgaben anfertigen ließ. Er befürchtete vor allem, wie er an Kesten schrieb, dass die Länge des Textes einen Verleger davon abhalten könnte, mit der *Schachnovelle* eine veritable Buchausgabe zu veranstalten. Wie berechtigt Zweigs Befürchtungen waren, zeigt der Umstand, dass die *Schachnovelle* in Brasilien und in den USA dann auch gemeinsam mit zwei anderen Erzählungen zusammen in einem Band publiziert wurde.

In einer akribischen Reinschrift mit vermutlich drei Durchschlägen wurde die *Schachnovelle* von Lotte Zweig so gut wie fehlerfrei auf der Schreibmaschine getippt. Letzte Korrekturen trug sie per Hand, vermutlich nach Stefan Zweigs Diktat, in die Durchschläge des Typoskriptes ein.

Wäre die *Schachnovelle* für Zweig von geringer Bedeutung gewesen, hätte er den Text nicht (nachdem der Entschluss zum Suizid schon getroffen war) noch in seinen letzten Lebenstagen fertiggestellt und mit persönlichen Briefen an seine Verleger in New York, Rio und Stockholm und den Übersetzer in Buenos Aires versehen. Das letzte Werk Zweigs sollte also zugleich in vier Weltsprachen, Portugiesisch, Spanisch, Englisch und Deutsch, veröffentlicht werden. Wäre es anders gewesen, hätte er die *Schachnovelle*, wie viele andere Texte, darunter auch Erzählungen, fertig oder unfertig seinem brasilianischen Verleger als Fragment auf dem Schreibtisch hinterlassen können.

4. Unvollendete Werke

Zweig arbeitete oft gleichzeitig an mehreren Texten; Literaturessay, Theaterstück, Buchbesprechung und Novelle konnten gewissermaßen gleichzeitig entstehen. Dieser Blick auf die *Schachnovelle* ist noch nicht versucht worden, d.h. sie im Kontext mit jenen Büchern und Manuskripten zu sehen, an denen Stefan Zweig in seiner letzten Lebenszeit gearbeitet hat. Das bedeutet, jene auch wenig bekannten literarischen Projekte, an denen er über längere Zeiträume hin gearbeitet hatte, zu berücksichtigen, die aber Fragment geblieben waren.

Das geistige und künstlerische Erbe Europas mit Büchern, mit monographischen Essays und kulturhistorisch aufbereiteten Biographien neu ins Bewusstsein zu bringen, war für Zweig ab 1919 eine friedenstiftende Kraft. Es war seine selbstgewählte kosmopolitische Mission und ist bis heute sein besonderes Vermächtnis, in einem selbstgeschaffenen Netzwerk europäischer Künstler und Intellektueller tätig gewesen zu sein. Wenn heute immer wieder gefragt wird, worin unser Interesse an diesem Autor bestehen könne, dann gilt dies insbesondere auch in diesem Sinne.

Für Zweig war diese Arbeit nicht nur eine literarische, sondern auch ein moralischer Auftrag. Es war der Versuch, das Trauma des Ersten Weltkriegs zu bearbeiten und sich so dem erneuten Wiederaufblühen des Nationalismus, der Zerstörung demokratischer Prinzipien und dem Hass zwischen den Völkern zu widersetzen. Zweigs Modell von Autorschaft orientierte sich dabei an dem Vorbild Romain Rolland, der mit den Biographien von Michelangelo, Händel und Beethoven auf Carlyles Spuren Heroen der europäischen Geistesgrößen für eine Art Typologie der großen Meister vorstellen wollte. In dieser Absicht entstanden Zweigs vier große Essaybände (mit den biographischen Studien über Mesmer, Hölderlin, Dostojewski, Kleist, Nietzsche, Freud u.a.), aber auch die Studien zur französischen Revolution und zur Reformation, den beiden Wendezeiten europäischer Neuordnung, also das Buch über Joseph Fouché (1929), die Biographien über Marie Antoinette (1932) und Maria Stuart (1935) sowie die biographisch-zeithistorischen Essays *Triumph und Tragik des Erasmus von Rotterdam* (1934) und *Castellio gegen Calvin* (1936).

Die Krönung dieser langjährigen Forschungsarbeit sollte eine auf zwei Bände angelegte Biographie über den französischen Romancier Honoré de Balzac werden, für die Zweig schon seit den Salzburger Jahren gelesen, recherchiert und Materialien gesammelt und von der er einige Kapitel in Bath bereits geschrieben hatte. Aber das Buch blieb unvollendet. Mit enormem diplomatischen Aufwand wurde das Balzac-Manuskript samt Mappen von Exzerpten aus England nach Brasilien verschickt. Lotte Zweig hatte ihrem Mann noch im November 1941 zum Geburtstag eine französische Gesamtausgabe der Balzac-Romane geschenkt, um ihn zur Weiterarbeit an seinem *opus magnum* zu ermuntern. Wie bitter Zweig die Niederlage empfand, sein vielbedachtes Werk über Balzac nicht beenden zu können, bezeugen zahlreiche Auskünfte in Briefen an Freunde.

In Zweigs Nachlass von Petrópolis fand sich auch das Fragment eines Romans, den Zweig im Herbst 1941 begonnen hatte und der 1990 unter dem Titel *Clarissa* (der nicht von Zweig, sondern vom Herausgeber Knut Beck stammt)[18] veröffentlicht wurde. Dieser Roman entstand in jenen letzten Lebensmonaten, in denen Zweig parallel auch an der *Schachnovelle* arbeitete. (Die Forschung könnte die vielfältigen Übereinstimmungen zwischen den beiden Projekten detailliert darstellen.)

Am 30. Januar 1942 schrieb Zweig an seinen Freund Viertel: »Ich arbeite etwas und habe auch einen Roman angefangen, aber liegengelassen.« Auf die Manuskriptmappe notierte Zweig: »Roman im ersten Entwurf begonnen, die Welt von 1902 bis zum Ausbruch des Krieges vom Erlebnis einer Frau gesehen. Nur erster Teil scizziert, der Anfang der Tragödie, dann für die Arbeit am *Montaigne* unterbrochen, gestört durch die Ereignisse und die Unfreiheit meiner Existenz. Stefan Zweig November 41 bis Februar 42.«[19]

Unmittelbar nach den letzten Korrekturarbeiten für *Die Welt von Gestern* wählte Zweig auch in diesem »österreichischen Roman«, wie er ihn nannte, die österreichische und Wiener Szene zum Handlungsort. Noch einmal wird Zweigs Trauma, die Zerstörung europäischer Versöhnung durch den Ersten Weltkrieg, diesmal mit erzählerischen Mitteln, bearbeitet. Erneut wählt Zweig eine Frau als Heldin der Geschichte, seine Perspektive wird vor allem aus ihrem Blickwinkel erkennbar.

Der Roman versucht zu zeigen, wie aus dem Verhältnis zwischen Österreich und Frankreich durch den Weltkrieg von einem Tag auf den anderen eine fanatische Feindschaft

18 Vgl. Beck, 1999, S. 183.
19 Dines, 2006, S. 605.

entspringen kann und wie die Weltgeschichte eine Liebesgeschichte zerstört und die Titelheldin Clarissa in eine tiefe Krise mit suizidalen Phantasien stürzt.

In Relation zur *Schachnovelle* ist entscheidend, dass selbst das Fragment – wie schon in der *Welt von Gestern* – erkennen lässt, wie sehr ihn die Erfahrungen des Ersten Weltkriegs verfolgten. Der »Ausbruch des Krieges« 1914, so heißt es in einer autobiographischen Notiz Zweigs aus dem Jahr 1936, war »für mich sowohl der tiefste emotionale Schock als auch die nachdrücklichste moralische Lektion«.[20] Wie Dr. B. war auch Clarissa in einer tiefen selbstzerstörerischen Krise, in beiden Fällen als Folge der Zerstörung Europas durch kriegerische Feindschaft.

Im brasilianischen Nachlass fand sich noch ein weiteres Fragment, eine biographische Studie über den französischen Schriftsteller Michel de Montaigne. »Mich lockte sehr«, schrieb Zweig an seine geschiedene Frau Friderike am 27. Oktober 1941, »über Montaigne zu schreiben, den ich jetzt viel und mit größtem Genuss lese, ein anderer (besserer) Erasmus, ganz ein tröstlicher Gast«.[21] An dem Essay über Montaigne, diesem Propheten von Weltabkehr und Rückzug in die Einsamkeit, arbeitete Zweig in den letzten Wochen vor seinem Tod, in denen er sich, vor dem Krieg flüchtend, unglücklicherweise in die Abgeschiedenheit von Petrópolis zurückgezogen hatte. »Jeder Mensch hat einen Liebling, Montaigne ist mein Erzieher, mein Helfer. Er ist der Mann, mit dem ich übereinstimme«, bemerkt Léonard in dem Roman *Clarissa*.

20 Prater/Michels, 1981, S. 19 f.
21 Zweig, Briefe IV, S. 320.

Auch dieses Manuskript blieb unvollendet. Knut Beck hat das Fragment 1990 in den »Gesammelten Werken in Einzelbänden« in der Anthologie *Zeiten und Schicksale* veröffentlicht.

5. Unvollendetes im englischen Nachlass

In ihrem Haus in Bath, England (von hier waren Stefan und Lotte Zweig Ende Juni 1940 ins Exil in die USA und nach Brasilien aufgebrochen), wurde ein weiterer unvollendeter Roman gefunden. 1982 wurde er von Knut Beck unter dem Titel *Rausch der Verwandlung* (auch dieser Titel stammt nicht von Zweig) als Fragment veröffentlicht. Zweig, der schon als junger Autor alle Genres erobert bzw. Gedichte, Erzählungen, Theaterstücke, Essays, Reiseberichte und historische Biographien veröffentlicht hatte, hatte seine von Zeitgenossen gerne bespöttelten Bestseller-Erfolge keineswegs halbseidenen Romanen, sondern vor allem Essaybänden, historischen Biographien und einer Handvoll Erzählungen zu verdanken.

Erst kurz vor seinem fünfzigsten Geburtstag, im Sommer 1931, begann Zweig in einer Schreibklausur in Thumersbach, nahe Zell am See, die Arbeit an der von ihm so bezeichneten »Postfräulein-Geschichte«, seinem ersten Roman.

Die Gegensätze von Luxuswelt und Armut sind nur die Kulisse für dieses Drama, in dem Zweig das Schicksal zweier Menschen (das Postfräulein Christine Hoflehner, das sich in die mondäne Welt verirrt, und ihr arbeitsloser Freund Ferdinand, mit dem sie sich nach einem gemeinsam verübten Postraub noch ein paar schöne Tage vor ihrem gemeinsamen Suizid machen will) als ausweglos schildert. Sie quälen sich mit ihrer Lebensnot, der selbstgewählte Tod erscheint ihnen als einzige Lösung. Nicht von ungefähr sind große Passagen des Romans in der Form des inneren Monologs abgefasst. Es ist nicht zu übersehen, dass Arthur Schnitzlers Novelle *Fräulein Else* Zweig bei der Arbeit Pate gestanden hatte.

Aufgegeben war die »Postfräulein-Geschichte«, ein angefangener Text von »hundertzwanzig Manuskriptseiten«, für den Autor noch lange nicht, obwohl er dann in England und auf Reisen den Roman *Ungeduld des Herzens* (1939) schreiben und fertigstellen konnte.

Im Sommer 1940 jedoch arbeitete er in New York gemeinsam mit Viertel an der Erstellung eines Filmdrehbuches der »Postfräuleingeschichte«. Erstaunlich daran ist, dass der Film tatsächlich gedreht wurde, allerdings erst nach dem Krieg: 1950 führte Wilfried Franz Regie zu dem Film *Das gestohlene Jahr* und zwar, wie es hieß, »nach einer bisher unveröffentlichten Novelle von Stefan Zweig und Berthold Viertel«.

6. Abgeschlossene Werke

Stefan Zweig hat die Veröffentlichung seiner autobiographischen Aufzeichnungen *Die Welt von Gestern* nicht mehr erlebt. Diese »Erinnerungen eines Europäers«, so der Untertitel, verweigern allerdings, wie von manchem Leser beklagt, Auskünfte über Zweigs privates Leben. Seine beiden Ehefrauen oder viele der engsten Freunde, die in seinem Leben eine bedeutende Rolle spielten, werden hier nicht erwähnt. Und das mit erklärter Absicht. Denn Zweig hatte Egon Friedells *Kulturgeschichte der Neuzeit* gelesen (und auch rezensiert) und wollte einen entsprechenden großen kulturhistorischen Essay schreiben. Knapp zwei Drittel des Buches sind der Periode von Zweigs Kindheit bis zum Ende des Ersten Weltkriegs gewidmet. – Die einzelnen Kapitel konzentrieren sich auf bestimmte Themen, z. B. den kulturellen Leidenschaften junger Menschen um 1900, Bildung, Sexualität oder der Einstellung zum Krieg. Zweigs Salzburger Jahre (1919–1934) und der Aufenthalt im englischen Exil bis zum Ausbruch des Zweiten Weltkriegs (1934–1939) nehmen einen wesentlich geringeren Umfang ein. Weitere Themen sind die Inflation, Zweigs Salzburger Netzwerke oder der Abschied aus Österreich. Großen Raum nehmen die Begegnungen mit prominenten Freunden wie Emile Verhaeren, Auguste Rodin, Rainer Maria Rilke, Walter Rathenau, Romain Rolland, Joseph Roth und Sigmund Freud ein.

Zweig hatte seine Aufzeichnungen, die ursprünglich den Titel »Meine drei Leben« tragen sollten, bereits 1939 in Bath begonnen. Im Sommer 1941, während einer schweren depressiven Krise, schrieb er in den USA die wichtigsten Kapitel nieder, im Herbst erfolgte die Überarbeitung, im November 1941 wurde das Manuskript in Petrópolis abgeschlossen. Das ist wichtig: Der Blick auf Österreich und Europa erfolgt zu einem Zeitpunkt, da Zweig jegliche Hoffnung auf eine baldige demokratische Erneuerung Europas aufgegeben hatte. Als endgültig Verlorene glänzt diese Welt hier noch einmal auf. Am 20. November 1941 konnte Zweig zwei seiner Typoskripte – für die deutschsprachige und die amerikanische Ausgabe – an seine Verleger abschicken.

Auch der kleine Band *Amerigo – Die Geschichte eines historischen Irrtums*, der das Schicksal des Amerigo Vespucci und die Geschichte der Entdeckung Amerikas nachzeichnet und aufklärt, wie es nach Betrug, Fälschung und Irrtum zum Namen Amerika für den Kontinent kam, konnte vollendet werden. Auch dieses Buch erschien erst kurz nach Stefan Zweigs Tod im Frühjahr 1942.

Die letzte Veröffentlichung, deren Erscheinen der Autor noch erleben konnte, war der Band *Brasilien. Ein Land der Zukunft* (1941). Es war als Einladung für Reisende aus Europa gedacht, sollte aber zugleich auch eine Liebeserklärung an das Land Brasilien sein. Brasilien, ein Land größer als Europa, erschien Stefan Zweig, im Gegensatz zu dem von Hitler und den mit ihm verbundenen Regierungen terrorisierten heimatlichen Kontinent, als Vorbild an politischer Toleranz und vitaler Lebensfreude, ein »Land der Zukunft« eben, während der Kontinent Europa, kleiner als das Land Brasilien, nur noch eine untergegangene »Welt von Gestern« war.

Obwohl Zweig in Brasilien, nicht zuletzt dank seines engagierten Verlegers Abrahão Koogan, ein beliebter Schriftsteller war und seine Bücher hohe Auflagen erzielten, widerfuhr diesem Buch in Brasilien eine recht zwiespältige Aufnahme. (1936, drei Jahre, nachdem Zweig in Deutschland sein Publikum verloren hatte, wurde er während einer Lesetournee durch mehrere Städte Brasiliens von Medien und Publikum noch enthusiastisch gefeiert; ausgehend von seinen damaligen Reise-Aufzeichnungen schrieb er nach weiteren Reisen durch Brasilien in den Jahren 1940 und 1941 dieses Buch).

Der brasilianische Zweig-Biograph Alberto Dines be-

Stefan Zweig, *Brasilien. Ein Land der Zukunft* – Schutzumschlag der portugiesischen Erstausgabe von 1941.

hauptete sogar, das Buch sei »von der Kritik und den Intellektuellen sehr schlecht aufgenommen worden«.[22] In die Kritik mischte sich allgemeine Polemik gegen den angeblich allzu kommerziell denkenden Verfasser, man entdeckte historische Fehler und bemängelte, Zweig würde den Erfolg der aufstrebenden Wirtschaftsmacht, die Errungenschaften des modernen Brasilien nicht gebührend würdigen. Man hielt dem Buch vor, es sei zu sentimental und gefühlsselig, Zweig idealisiere die Lebensumstände der armen Bevölkerung. Auch dass der Verfasser keine kritischen Worte gegen die inzwischen verhängten Einschränkungen der Demokratie durch Caudillo Getulio Vargas fand, irritierte manche Leser. Insbesondere die ausgestreute Nachricht, er habe dieses Buch womöglich im Auftrag der Regierung Vargas geschrieben (tatsächlich wurde eine seiner Recherche-Reisen nach Nordbrasilien vom Staat finanziert),[23] hatte Zweig besonders verletzt.

Dieses Gefühl war neu: Zum ersten Mal fand eines seiner Bücher nicht jene Anerkennung, mit der ihr Verfasser rechnen zu können meinte. Seit jener Reise durch Brasilien im Jahr 1936 war er diesem Land mit größter Sympathie zugetan, wenn es auch ein Handicap war, dass er die portugiesische Sprache nicht verstand, sie weder lesen noch sprechen konnte. Der Emigrant aus Europa war also nach England und den USA in seiner dritten Station des Exils angelangt, schrieb ein hymnisches Buch über dieses Land, in dem er nun leben wollte, und bekam schlechte Kritiken.

22 Dines, 2006, S. 428 ff.
23 Vgl. ebd., S. 442.

Diese Tatsache sollte Zweig mehr kränken, als er es sich eingestand. Ernst Feder berichtet zwei Monate nach Zweigs Tod, Zweig »ließ sich zur übereilten Publikation des Brasilienbuches von Freunden überreden, was er nachher selbst bedauert hat, weil das Buch begreiflicherweise viele Flüchtigkeiten und Fehler enthält«.[24]

Mit der *Welt von Gestern*, *Clarissa* und der *Schachnovelle* betrat er für seine letzten Lebensmonate wieder vertrauteres Terrain, nämlich Wien, Österreich, Europa.

7. Die *Schachnovelle*

Seit ihrer ersten Veröffentlichung im Jahr 1942 hat die *Schachnovelle* Millionen Leser gefunden. Die Stefan-Zweig-Bibliographie von Randolph Klawiter von 1991 verzeichnet Übersetzungen in 35 Sprachen, Egbert Meissenburg spricht 2002 von 41 Übersetzungen. Der Williams-Verlag Zürich/London, also jener Verlag, der die Weltrechte Stefan Zweigs wahrgenommen hatte, teilt am 8. Mai 2012 mit, es existierten 58 Verträge für Übersetzungen der *Schachnovelle* (es gibt in einigen Sprachen mehrere Übersetzungen). Im Pariser Verlag Gallimard erschien 2013 eine zweibändige Ausgabe des erzählerischen Werks von Stefan Zweig (sämtliche Novellen, Romane, Romanfragmente, *Sternstunden der Menschheit*, *Die Welt von Gestern*) für die renommierte Edition der Weltliteratur, die »Pléiade«, darin enthalten eine weitere Übersetzung der *Schachnovelle*. In Frankreich gibt es somit bereits fünf verschiedene Ausgaben der Erzählung.

24 Bircher, 1996, S. 107.

Warum die *Schachnovelle* heute noch so anspricht, liegt zum einen in der Dramatik, an der Spannung des Wettkampfs zweier ungleicher Partner sowie an der klugen Dramaturgie des Spielverlaufs. Schach, das intelligente Spiel der Könige, bei dem es nicht, wie bei vielen anderen Spielen, auf Glück und Zufall, sondern auf gedankliche Meisterschaft und Kombinations-Begabung ankommt, hat schon immer nicht nur die Spieler selbst, sondern auch die Umstehenden fasziniert. Entsprechend lesen Schachfreunde Zweigs Novelle, auch wenn ihnen der Autor sonst nicht viel sagt. Besonders leidenschaftliche Freunde des Schachspiels versuchen dann noch herauszufinden, welche Fehler Stefan Zweig, der selbst nur ein mittelmäßig guter Schachspieler war, unterlaufen sind.

Der besondere Reiz der *Schachnovelle* liegt aber zum anderen darin, dass Zweig in der Novelle gegensätzliche Sphären miteinander verbindet und lebendig werden lässt, nämlich die lässige Luxus-Weltläufigkeit der flanierenden Gäste auf dem Promenadendeck eines ruhig durch den Atlantik in Richtung Süden ziehenden großen Schiffes einerseits und die nervöse Gegenwelt, den verbissenen Kampf an einem winzigen Tischchen andererseits. Weitere Gegensätze verstärken die Faszination: hier die wohlhabenden Reisenden auf dem Weg in eine »Neue Welt« und mitten unter ihnen ein Mitreisender, der, ohne dass sie es wissen, in Wien vor kurzem in der Isolationshaft der Gestapo saß. Es kontrastieren die Einsamkeit des Dr. B. mit stickiger Luft im vergitterten Zimmer zum engen Lichthof, Gefängniskost, Gehirnwäsche und Psychose und das mondäne Ambiente der Weltreisenden auf einem Schiff bis hin zur guten Luft von Buenos Aires.

Auf der einen Seite des Tisches sitzt nun der grobschlächtige Emporkömmling mit slawischem Blut, eine gut trainierte, gefühlskalte kulturlose Schachmaschine vom Balkan, ein grobschlächtiger Prolet, aber immerhin Weltmeister, auf der anderen Seite des Spielfeldes der gepflegte Anwalt aus Wien, der nicht aus Aufsteiger-Ehrgeiz und Gewinnsucht das Spiel erlernt hatte, sondern gewissermaßen wider Willen, ein Geschäftspartner ehemaliger Mitglieder des österreichischen Kaiserhauses, der zwar der Gestapohaft entkommen konnte, aber auch im Exil in der Neuen Welt die Lebensgeschichte der »Welt von Gestern« auf den Schultern tragen wird.

8. Zugänge

Wie so oft bei großen Texten der Weltliteratur könnte die besondere Wirkung der *Schachnovelle* auch an der Vielfältigkeit der Themen und dem Kosmos von Motiven und Bezügen liegen. Je nach Blickwinkel der Leserinnen und Leser findet man den Einstieg entweder bei der Faszination am Schachspiel, bei der Beschreibung des Kampfes oder durch die Schilderung der Lebensgeschichten und die Psychogramme der Kontrahenten. Dass es sich, über die konkreten Zeitumstände hinaus, auch um die Darstellung einer existentiellen Krise des Individuums, um Traumatisierung und psychotische Not handelt, verstärkt den Leseeindruck. Dass man schließlich seinen Zugang zur *Schachnovelle* aber auch über die politischen Koordinaten der Binnenhandlung wählen und die Geschichte Österreichs und des Nationalsozialismus rekapitulieren kann, bietet einen zusätzlichen Anreiz.

Häufig wird die Entstehung der Novelle in Beziehung gebracht zur biographischen Verfassung ihres Autors und zum Suizid von Lotte und Stefan Zweig. Denn man kommt schwer umhin, in der psychotischen Krise von Dr. B., die zum Zertrümmern einer Glasscheibe führt, nicht eine Spiegelung von Zweigs depressivem Zusammenbruch im Sommer 1941 zu entdecken. In beiden Fällen deutet sich eine suizidale Disposition an: Das Zerschlagen der Glasscheibe könnte vielleicht in der Absicht geschehen sein, aus dem Fenster zu springen.

Tatsächlich haben mehrere Häftlinge, die zum Verhör ins Hotel Métropole gebracht wurden, versucht, sich vor der Folter durch SS-Männer durch einen Sturz ins Treppenhaus, also in den Tod, zu retten.

Der biographische Zugang ermöglicht es auch, über Zweigs Situation im Exil zu sprechen. In diesem Sinne könnte man die Erzählung von zwei Polen her denken, nämlich einerseits von der Historie her, der Zerstörung Österreichs durch den Nationalsozialismus, und andererseits aus der Perspektive Zweigs, einem österreichischen Emigranten, der seine Heimat verloren hat, zuerst in England, dann mit britischer Staatsbürgerschaft in den USA und in Brasilien eine neue Heimat sucht – und nicht finden kann.

9. Forschung

Berühmt wurde die *Schachnovelle* nicht nur durch die vielen, insbesondere auch in hohen Auflagen veröffentlichten Taschenbuch-Ausgaben des S. Fischer Verlages, durch Übersetzungen und Sondereditionen oder durch

Programm zum Film *Schachnovelle*, Deutschland 1960. Regie: Gerd Oswald. Mit Curd Jürgens, Claire Bloom, Mario Adorf, Hansjörg Felmy u. a.

Vorbereitungen zum Schachspiel gegen sich selbst. Szene aus dem deutschen Kinofilm *Schachnovelle* (1960) – Curd Jürgens als Dr. B. in seinem Gefängnis-Zimmer im Wiener »Hotel Métropole«.

den Umstand, dass sie immer noch und zu Recht eine beliebte Schullektüre ist. Von der *Schachnovelle* existieren mehrere Dramatisierungen, es gibt diverse Hörspielbearbeitungen sowie Hörbücher. Auch für eine Opern-Aufführung wurde der Text der *Schachnovelle* bereits einmal herangezogen.[25] Im Mai 2013 wurde am Theater in Kiel die Oper *Schachnovelle* des spanischen Komponisten Cristóbal Halffter uraufgeführt. Das Libretto schrieb Wolfgang Haendeler.

25 Vgl. Tuercke, 1999, S. 209 ff.

Die letzte, abgebrochene Partie der *Schachnovelle*. Szene aus dem gleichnamigen deutschen Kinofilm von 1960 – Mario Adorf (links) als Czentovic, Curd Jürgens (rechts) als Dr. B.

Der deutsche Film *Schachnovelle* aus dem Jahr 1960 wurde »nach der gleichnamigen Erzählung von Stefan Zweig« gedreht. Wenn auch der innere Kern und die politischen Zeitumstände unverändert bleiben, so ergänzt das Drehbuch die Novellenhandlung mit einer (bei Zweig nicht existierenden) zentralen Frauenrolle, mit zusätzlichen Handlungssträngen und Figuren. Regie führte Gerd Oswald, Curd Jürgens spielte Dr. B. (der in der Filmfassung den Namen »Werner von Basil« erhielt), Mario Adorf übernahm den Part des »Mirko Centovic« (sic!).

Ergänzend zur reichhaltigen Rezeption der *Schachno-*

velle[26] seien hier noch einige Hinweise auf Beiträge jüngeren Datums gegeben, die beispielhaft unterschiedlichste Herangehensweisen an den Text aufzeigen.

Auf die Relationen zur österreichischen Zeitgeschichte und der Frage nach Zweigs Verhältnis zur Politik ist mehrfach hingewiesen worden.[27] Der Versuch jedoch, im Bildnis des Schachweltmeisters Czentovic ein verdecktes Hitler-Porträt zu erkennen, erscheint wenig zielführend.[28] Hans-Albert Koch wiederum versuchte in seiner Studie über Zweigs politisches Engagement, die *Schachnovelle* in Relation zu Zweigs Studie *Triumph und Tragik des Erasmus von Rotterdam* (1934) zu setzen: »In Dr. B., dem Protagonisten seiner letzten Prosaarbeit, hat Zweig eine gesteigerte, ins Zeitgenössische gerückte Erasmus-Figur dargestellt.«[29] Zweigs Plädoyer für die Besiegten, die Scheiternden bedenkend, wäre diese These tatsächlich eine eigene Monographie wert, beginnend bei Zweigs Dramen *Tersites* (1908) und *Jeremias* (1918).

Von Traumatisierung war in diesem Nachwort schon mehrfach die Rede, und es ist in diesem Zusammenhang plausibel, wenn Hannes Fricke in einer eindrücklichen Studie die *Schachnovelle* »eines der erstaunlichsten Beispiele für die Darstellung eines Traumas in der Literatur« nennt. Zweig habe, so Fricke, das Flashback des Traumatisierten präzise skizziert: »Das erneute Durchleben seiner Inhaftierung, Zelle, Wasser trinken, Hin- und Hergehen«. Die

26 Vgl. hier das Literaturverzeichnis, das eine Auswahl präsentiert.
27 Vgl. Hobek, 1993, S. 100 ff.
28 Brode, 1999, S. 223 f.
29 Koch, 2003, S. 55.

Schlussfolgerung verweist auf Zweigs besondere Darstellungsgabe in der *Schachnovelle*: »Detailgenau werden die Reaktionen eines Folteropfers geschildert, das auf den Trigger Schachspiel in ein Flashback rutscht, lange bevor psychotraumatologische Kategorien zur Beschreibung eines solchen Geschehens zur Verfügung standen.«[30]

An dieser Stelle sollen auch, weil sie an entlegenem Ort publiziert wurden, zwei Stimmen aus Italien und aus den USA zu Wort kommen. Für die italienische Ausgabe der *Schachnovelle* von 1991 hat der Schriftsteller Daniele del Giudice ein bemerkenswertes Nachwort verfasst. Auch er hält die *Schachnovelle* für »die beste Erzählung von Stefan Zweig«, schränkt aber ein, je mehr die Erzählung voranschreite, »betrifft die Opposition immer weniger die beiden entgegengesetzten Zwangsvorstellungen – die eine natürliche und die andere aufgezwungene – oder den tragischen geistigen Widerstand gegen den Nationalsozialismus, sondern [es geht vielmehr um] den Untergang der aristokratischen, empfindsamen und gequälten Seele, die gezwungen ist gegenüber einer arroganten, selektiven und deshalb ›überlegenen‹ Intelligenz nachzugeben. Und ab diesem Moment sind wir [Leser] immer mehr auf der Seite von Czentovic und immer weniger auf der von Zweig.«

Doktor B., so meint del Giudice, kämpfe für sich allein, er nimmt den Gegner nicht wahr, sondern nur das Spiel – und deswegen endet er unvermeidlich wieder in seinem Wahn, und dabei sieht es so aus, als ob sein Autismus gar nicht mehr heilbar wäre. »Aber wer spielt dann gegen Czentovic? Es ist Stefan Zweig, der seltene Fall eines

30 Fricke, 2006, S. 41.

Schriftstellers, der gegen jene Person kämpft, die sein ›neuer Kunde‹ hätte sein können.«[31]

Der deutsch-amerikanische Kulturhistoriker Peter Gay hat für die New Yorker Ausgabe der *Schachnovelle* ein Vorwort geschrieben, und betont, Zweig habe mit der *Schachnovelle* sein lang anhaltendes Schweigen gegenüber den Verbrechen seiner Zeit gebrochen. Er vergleicht sie in ihrer narrativen Struktur mit anderen Erzählungen des Autors und meint, die *Schachnovelle* gebe auf wunderbare Weise Einblick ins Zentrum von Zweigs literarischer Werkstatt. Unter Hinweis auf die Freundschaft mit Sigmund Freud gehe es Zweig, genauso wie in seinen Essays über Hölderlin oder Dostojewski, in der *Schachnovelle* darum, die inneren Geheimnisse der Lebensgeschichten von Czentovic und Dr. B. zu enträtseln. Aber am Schluss, so betont Gay, bleibe doch offen, ob Dr. B. seine Traumatisierung bewältigen und leben wird können, oder ob er, wie Zweig, von Exil und Depression besiegt wird. Zweig wollte, vermutet Gay, dass seine Leser deutlicher als bisher wissen sollten, in welchem verzweifelten Kampf er verstrickt war. »Aber seine Diskretion, so typisch für ihn, ließ ein wirklich offenes Bekenntnis nicht zu. Und so bleibt die *Schachnovelle* eine Botschaft aus einer früheren Zeit, aus der Welt von Gestern.«[32]

Ruth Klüger hielt 2010 im Salzburger »Stefan Zweig Centre« ihren Vortrag »Selbstverhängte Einzelhaft – Die Schachnovelle und ihre Vorgänger«. Klüger untersucht an-

31 Del Giudice setzt Zweig den Rechtsanwalt-Schachspieler Dr. B. gegenüber, der in seiner Kanzlei aus Vorsicht stets eine Regel befolgte: »Aus Prinzip meideten wir neue Kunden.« (Del Giudice, 1991, S. 10 f.)

32 Gay, 2006, Seite 8 ff.

hand von Dr. B.'s Haft im »Hotel Métropole«, was für eine Rolle Zimmer in Zweigs Erzählungen spielen. Dabei geht es vor allem um das Zimmer als »Symbol des Ichs, des meistens gefährdeten Ichs, das hinaus will oder muss – aus der Beschränkung, die ihm zwar oft von außen, als Gefängnis aufgezwungen wird, aber vor allem von innen«. Klüger schlägt dabei die Brücke zu Hofmannsthals Jugenddrama *Der Tor und der Tod*, bezieht mehrere Erzählungen Zweigs mit ein, ebenso seinen Tolstoi-Essay und seine Biographie von Marie-Antoinette – die Königin im Gefängnis der Conciergerie.

Auch Klüger lehnt die These Siegfried Unselds ab, Mirko Czentovic als Verkörperung des nationalsozialistischen Geistes zu sehen. Für sie ist der Gegenspieler von Dr. B. vielmehr eine komische Figur, die einem Nestroy-Stück entsprungen sein könnte, »mit leicht erkennbaren Macken, die zum Lachen reizen, besonders in Verbindung mit anderen Nebenfiguren, die ebenso wie Mirko in einer Wiener Komödie unterhaltsam wären, zum Beispiel Mr. McConnor, der selfmade Amerikaner. [...] Die *Schachnovelle* wird umso dunkler, als sie auch ihre heiteren Aspekte hat, helle Stellen, wo sich einige sehr mittelmäßige Zeitgenossen auf einer langen Schiffahrt, wo es nichts zu tun gibt, amüsieren.«

Und so findet sie die Abfolge der Schachspiele im Smoking-Room des Schiffes spannend: »Das alles ist großartige Unterhaltung.« Und nachdem Dr. B. das erste Spiel gewonnen hat, sagt Klüger: »Wir Leser suhlen uns vor Vergnügen, weil wir seinen Gegner nicht mögen.«

Während für Klüger bei einer früheren Lektüre der »Unrechtsstaat und der Widerstand dagegen« der bedeutendste

Inhalt der Erzählung gewesen sei, erkenne sie heute in der *Schachnovelle* die Darstellung des »Ich als geschlossenen Raum, [...] Einsamkeit ist an und für sich schrecklich«.

In ihrem abschließenden Resümee sagt Ruth Klüger, die *Schachnovelle* sei »eben kein Hohelied auf des Menschen Willen, der sich befreien kann aus den vier Wänden, die sein Ich ausmachen.« Vielmehr verbinden sich zwei Motive: »Das Geheimnis und die Problematik der menschlichen Denkfähigkeit und die unvermeidliche Abgeschlossenheit des einzelnen Ich. Hier scheitert ein Mann von tadelloser Herkunft und angenehmen Manieren und unscheinbarem Äußeren, in den man leicht hineinschlüpfen kann, weil er gar nicht so viele Eigenschaften vorzuzeigen hat, nur eben diese eine Episode in seiner Lebensgeschichte, die ihm seine Grenzen gezeigt hat.«

Es sei ergänzt, dass Ruth Klüger in die Diskussion, wer Zweig als Vorbild für Dr. B. gedient haben könnte, Zweigs Großvater mütterlicherseits, den Bankier Samuel Ludwig Brettauer, einbringt.

Gert Kerschbaumer hat in seiner Studie versucht, die *Schachnovelle* als Doppelgängergeschichte ihres Verfassers zu lesen. »Europas Extreme oder Gegensätze im Zusammenprall«: der intellektuell eingleisige, mechanisch spielende Weltmeister, der ganz von unten kommende »homo balcanicus« Mirko Czentovic und der altösterreichische Geistesmensch und Landsmann des Erzählers, Dr. B., sind in dieser Lesart, so wie das Schwarz und Weiß des Schachspiels, die beiden »bipolar kategorisierten Figuren«, die zusammen gesehen für jene Doppelexistenz stehen, Pole, deren Divergenz Zweig nicht versöhnen konnte: »Zweigs Doppelwelt, seine Identitäts- und Existenzkrise, findet ihren Niederschlag in seiner *Welt von Gestern* und im literarischen Seitenthema, seiner in gedämpfter Sprache geschriebenen *Schachnovelle*.«[33]

Rüdiger Görner hat in seinem 2012 erschienenen Band *Stefan Zweig – Formen einer Sprachkunst* auf die Spaltung des Ichs Bezug genommen, von der Dr. B., in Gestapohaft gegen sich selbst Schach spielend, bedroht ist. Zweigs Wort von der »Selbstzerteilung« nimmt er als Anlass, darauf hinzuweisen, dass es in den Erzählungen Zweigs – entgegen landläufiger Meinung – viele Belege gebe, in denen die zeitgenössische Sprachskepsis der Moderne zum Thema wird. Im Falle der *Schachnovelle* merkt Görner an, der Begriff ›Selbstzerteilung‹ »lasse jedoch aus einem ganz bestimmten Grund aufhorchen: Nietzsche gebrauchte ihn seit *Menschliches, Allzumenschliches* immer wieder, nachdem er das Ich in der Moderne nur noch als ›Dividuum‹ erkennen konnte. Für Nietzsche wurde die Selbstzerteilung zur Voraussetzung neuer Einsichten in die Daseinsverhältnisse; in Zweigs Novelle steht sie als Ergebnis wahnhafter Prozesse im imaginären Spiel-Raum.«[34]

Der Herausgeber dankt Fanny Barth (Anthering), Elisabeth Erdem (Salzburg), Gerda Morrissey (Zweig-Collection, Fredonia), Lindi Preuss (Williams-Verlag Zürich/London), Daniela Strigl (Wien), Oliver Matuschek (Hannover), Egbert Meissenburg (Seevetal), Siegfried Schönle (Kassel) und Rainer Joachim Siegel (Leipzig).

33 Kerschbaumer, 2011, S. 228.
34 Görner, 2012, S. 126.

Nachweis der Abbildungen

Archiv des Stefan Zweig Centre Salzburg: S. 93, 151, 157. – Casa Stefan Zweig, Petrópolis: S. 134. – Deutsche Kinemathek: S. 158, 159. – Manuscript Division, Library of Congress, Washington: S. 89. – Privatbesitz London: S. 129, 139, 141. – Stefan Zweig Collection, Reed Library, State University of New York, Fredonia: S. 91. – Verlagsarchiv: S. 108.

Inhalt

Anhang